Antologia organizada por

Nelson de Oliveira

Cenas da favela

*As melhores histórias
da periferia brasileira*

Antologia organizada por

Nelson de Oliveira

Cenas da favela

*As melhores histórias
da periferia brasileira*

Ediouro

Cenas da favela

Copyright da organização © 2007 by Nelson de Oliveira

1ª edição – fevereiro de 2007

Direitos cedidos para esta edição à
EDIOURO PUBLICAÇÕES S. A.
Rua Nova Jerusalém, 345 – Bonsucesso
CEP 21042-235 – Rio de Janeiro – RJ
Tel. (21) 3882-8338 – Fax (21) 2560-1183
www.ediouro.com.br

A GERAÇÃO EDITORIAL É UM SELO DA EDIOURO PUBLICAÇÕES
GERAÇÃO DE COMUNICAÇÃO INTEGRADA COMERCIAL LTDA.
Rua Major Quedinho, 111 – 20º andar
CEP 01050-904 – São Paulo – SP
Tel. (11) 3256-4444 – Fax (11) 3257-6373
www.geracaobooks.com.br

Editor e Publisher
Luiz Fernando Emediato

Diretora Editorial
Fernanda Emediato

Produção Editorial
Lucas Bandeira de Melo

Capa
Silvana Mattievich

Revisão
Paulo César de Olveira
Adson Vasconcelos
Maryanne Linz

CIP-BRASIL. CATALOGAÇÃO NA FONTE
SINDICATO NACIONAL DOS EDITORES DE LIVROS, RJ

C3898

Cenas da Favela: antologia / organizada por Nelson de Oliveira… [et al.]. - Rio de Janeiro: Geração Editorial, 2007
232p.

ISBN 978-85-6030-204-8

1. Favelas - Miscelânea. 2. Antologias (Conto brasileiro). I. Oliveira, Nelson de, 1966-.

06-4578   CDD 869.93008
                CDU 821.134.3(81)-3(082)

2007
Impresso no Brasil
Printed in Brazil

SUMÁRIO

Favela: infinitas falas (APRESENTAÇÃO), NELSON DE OLIVEIRA 9
A mulher vedada, ALBERTO MUSSA 19
Desabrigo, ANTÔNIO FRAGA 24
Quarto de despejo, CAROLINA MARIA DE JESUS 31
La Pietà, CECÍLIA PRADA 43
Debaixo de praga, CHICO LOPES 53
Trabalhadores do Brasil, FERNANDO BONASSI 60
Coração de mãe, FERRÉZ 63
Eu sou o..., FERRÉZ 66
Hoje tá fazendo um sol, FERRÉZ 70
O plano, FERRÉZ 73
O ônibus branco, FERRÉZ 75
Terra da maldade, FERRÉZ 78
Guardador, JOÃO ANTÔNIO 85
No morro, JOÃO ANZANELLO CARRASCOZA 91
O jogo, JOÃO BATISTA MELO 96
Baile perfumado, JOÃO PAULO CUENCA 103
A espera, JOCA REINERS TERRON 108
Pipas, LUIS MARRA 110
Ciranda, LUIZ RUFFATO 118
O X do problema, LYGIA FAGUNDES TELLES 131
Balaio, MARÇAL AQUINO 136
Muribeca, MARCELINO FREIRE 141

Solar dos Príncipes, MARCELINO FREIRE 143
Algum lugar em parte alguma, NELSON DE OLIVEIRA 146
Destino de artista, PAULO LINS 178
Nervos., RONALDO BRESSANE 186
Feliz ano novo, RUBEM FONSECA 189
Suíte bar, SÉRGIO FANTINI 197
Lá no morro, WANDER PIROLI 202
Favelário nacional, CARLOS DRUMMOND DE ANDRADE 204

Minibiografias 219

Favela

Numa vasta extensão
Onde não há plantação
Nem ninguém morando lá
Cada um pobre que passa por ali
Só pensa em construir seu lar
E quando o primeiro começa
Os outros, depressa, procuram marcar
Seu pedacinho de terra pra morar

E assim a região sofre modificação
Fica sendo chamada de *nova aquarela*
É aí que o lugar então passa a se chamar
Favela

Padeirinho e Jorginho
Gravado por Jards Macalé no CD
O q faço é música

Favela: infinitas falas

*A nova prosa brasileira encontra a
nova civilização: a neofavela*

Choque de realidade: grandes empresas mandam seus executivos fazer imersão em casas de periferia. Esses são o título e o subtítulo de uma matéria publicada recentemente na revista *Época* (9.2.2004). Segundo a jornalista responsável pelo texto, profissionais muito bem remunerados, que até ontem faziam imersão apenas nos Estados Unidos e em outros países do Primeiro Mundo, para apreender a sua língua e a sua cultura, hoje fazem isso em favelas. Mas não é o interesse pela sorte dos miseráveis que move tais pessoas. O objetivo é outro: descobrir quais são as reais necessidades de consumo das classes C e D, a fim de que as empresas para as quais esses executivos trabalham possam melhorar o seu desempenho comercial.

Os escritores do mundo todo têm muito o que aprender com a iniciativa comentada na matéria: "Juliana Azevedo Schahin, de vinte e oito anos, prendeu as longas madeixas loiras num rabo-de-cavalo, tirou os brincos chamativos, dispensou a maquiagem e a bolsa e entrou num táxi rumo a uma favela urbanizada na periferia de São Paulo. Durante uma semana, praticamente não trocou a calça jeans e a camiseta que usava no primeiro dia, para não constranger a dona da casa que a hospedou. Diretora de marketing de fraldas e absorventes da multinacional Procter & Gamble, Juliana não estava a passeio. Participava, animadíssima, de um programa idealizado para que os executivos da empresa *mergulhem* na dura realidade das classes C e D, com renda familiar mensal média de R$ 927 e R$ 424, respectivamente. O objetivo é descobrir o que consomem, como agem e com o que sonham os pobres. Embora famílias das classes C, D e E correspondam à maioria da população brasileira, sua realidade é pouco conhecida pela classe A. Por isso, grandes empresas como a Procter estão investindo em estratégias de aproximação desse potencial e nada desprezível contingente consumidor. Promovem imersões em casas de periferia, participações em festas populares e até reality shows em que espiam residências de classe C." Está lançada a idéia: por que os canais de tevê dos quatro cantos do planeta não organizam, nos respectivos países, um Big Brother só de miseráveis? Três famílias instaladas num barraco de dois metros de largura por três de profundidade: sucesso de audiência na certa.

A história do surgimento e da evolução das cidades é longa e sinuosa, ela atravessa os séculos e os cinco continentes. A história do surgimento e da evolução das favelas é curta e retilínea. Não havia favelas nos arredores de Mênfis ou de Tebas, no Antigo Egito. Tampouco nas proximidades do Partenon, em Atenas, ou do Coliseu, em Roma. Não se tem notícia de barracos alinhados ao longo da Grande Muralha, na China. Também não havia favelas na Europa medieval nem na renascentista: Giotto e Dante jamais tiveram de se preocupar com elas. Ao desembarcar em Calicute, Vasco da Gama não encontrou favelas nem favelados. Nem Colombo, ao descobrir as praias da América. No passado, houve senzalas, quilombos e cortiços, não favelas. Estas são fenômeno recente, típico da era industrial e da periferia do capitalismo: pertencem ao nosso tempo, bem como os profissionais de marketing, e a seu respeito somente nós e nossos contemporâneos estamos capacitados a discorrer. Como fez John dos Passos, em *Brazil on the move*, livro que comenta diversos aspectos da realidade brasileira por volta de 1948. Dos Passos, no capítulo sobre as favelas (cujo título-pergunta, *The favela: symbol of the new Brazil?*, já diz muito aos brasileiros de hoje), questionava-se prudentemente se o que se desenrolava diante dos seus olhos era apenas um grave problema de saúde pública, como afirmavam os médicos sanitaristas da época, ou o florescimento de uma nova civilização, produtora de sua própria cultura e criadora de suas próprias leis.

Fazendo eco à questão de Dos Passos, o filósofo Slavoj Zizek recentemente afirmou que o crescimento explosivo das favelas nas últimas décadas constituiu-se no fato geopolítico crucial do nosso tempo. No artigo "O novo eixo da luta de classes" (Mais! 5.9.2004), ao analisar a situação contemporânea — o imperialismo norte-americano, o conflito na Palestina, as catástrofes ecológicas, a disparidade econômica entre o Norte rico e o Sul pobre —, o filósofo esloveno concluiu que "a maior esperança de um mundo realmente livre está no universo sombrio e triste das favelas". O raciocínio é longo. Por isso, recomendo que leiam o artigo de Zizek. Por ora ficaremos apenas com o resultado da equação: "Como em algum momento muito próximo a população urbana do mundo vai superar a população rural (é possível que, dada a imprecisão dos censos realizados no Terceiro Mundo, isso já tenha acontecido) e como os favelados vão compor a maioria da população urbana, não estamos tratando, de maneira nenhuma, de mero fenômeno marginal. Estamos assistindo ao crescimento acelerado da população fora do controle estatal, vivendo em condições metade fora da lei, terrivelmente carente de formas mínimas de auto-organização. Embora devamos resistir à tentação fácil de elevar e idealizar os favelados, enxergando-os como nova classe revolucionária, também devemos, como propõe Alain Badiou, enxergar as favelas como um dos poucos *lugares eventuais* da sociedade contemporânea, pois os favelados são literalmente uma coleção dos que formam a parte de parte alguma, o elemento excedente da sociedade, a parte excluída dos benefícios da cidadania, os desenraizados e despossuídos, os que de fato não têm nada a perder exceto as correntes que os prendem. De fato, é surpreendente quantas características dos favelados correspondem à boa e velha definição marxista do sujeito proletário revolucionário: eles são *livres* no duplo sentido do termo, mais ainda do que o proletário clássico (libertos de todos os laços substanciais, obrigados a conviver estreitamente, jogados nessa situação na qual precisam criar maneiras de conviver e, ao mesmo tempo, privados de qualquer apoio às formas de vida tradicionais, às formas herdadas de vida religiosa ou étnica)."

O relatório da ONU sobre habitação, intitulado *O estado das cidades do mundo*, divulgado no dia 16 de junho de 2006, afirma que hoje um terço da população urbana do mundo (cerca de um bilhão de pessoas) vive em favelas. Confirmando a expectativa de Zizek, o relatório afirma também que em algum momento de 2007 a população urbana superará a população rural.

Segundo a definição dos dicionários e das enciclopédias, favela é o núcleo de habitações rústicas e improvisadas nas áreas urbanas ou suburbanas, em locais sem melhoramentos públicos (geralmente nos morros), sobre terrenos de propriedade alheia, privada ou estatal, ou de posse não definida. No início, *favela*, para as classes mais favorecidas, era sinônimo de *promiscuidade, penúria* e *insalubridade*. Um século de evolução mudou esse quadro. Hoje em dia, há favelas e favelas. Os barracos que compõem as favelas mais pobres são construídos com restos de madeira e outros materiais. Em certos casos, até mesmo com alvenaria, mas sem sistema de saneamento básico nem energia elétrica, caracterizando-se pelas condições de vida extremamente precárias. Já as favelas menos pobres, como a da Rocinha, no Rio de Janeiro, com mais de cento e cinqüenta mil habitantes, e a de Heliópolis, em São Paulo, com mais de oitenta mil habitantes, são verdadeiras minicidades, com escola, posto de saúde, o seu próprio jornal e a sua própria emissora de rádio e de tevê, em cujos barracos é fácil encontrar água encanada, televisão, computador e antena parabólica. São as neofavelas.

Para o escritor Paulo Lins, a neofavela está para a favela assim como o quilombo um dia esteve para a senzala. Neo ou não, o fato é que hoje há mais de dezesseis mil favelas no Brasil, formadas por quase dois milhões e meio de domicílios. A origem dessas comunidades remonta ao surgimento da favela da Providência, sobre o Morro da Favella, situado entre o centro e o porto da cidade do Rio de Janeiro. Isso se deu há mais de cem anos, no final do século XIX e início do XX. Curiosamente, a famosa Guerra de Canudos — imortalizada na obra-prima de Euclides da Cunha, *Os sertões* —, apesar de ter acontecido tão longe dali, no sertão da Bahia, está ligada à formação das primeiras favelas cariocas.

No seu *Pequeno histórico das favelas do Rio de Janeiro*, as pesquisadoras Lilian Fessler Vaz e Paola Berenstein Jacques resumem o fato da seguinte maneira: "Essa história remete a 1897, quando um grupo de seguidores do líder religioso Antônio Conselheiro, estabelecido no Arraial de Canudos, no sertão nordestino, são considerados fanáticos, monarquistas e grande ameaça à segurança da recém-instituída República. Vários ataques são realizados ao reduto de maltrapilhos, até que na quarta tentativa um pelotão de oito mil homens o destrói inteiramente, massacrando todos os seguidores. Esse episódio foi relatado no clássico *Os sertões*, de 1901, que, como correspondente, descreveu não apenas a guerra, mas o sertão, o vilarejo e o reduto rebelde: o morro que contornava Canudos, conhecido como Morro da Favella. Em 1897, os soldados retornam à então capital do país, Rio de Janeiro, onde permanecem acampados em praça pública, reivindicando sua reincorporação ao exército. As autoridades militares permitem a ocupação do Morro da Providência, situado atrás do quartel-general. Vários barracos de madeira são construídos e os novos moradores passam a chamar o morro de Morro da Favella, em alusão ao outro, de Canudos. A palavra *favela* passa de estatuto de nome próprio ao de substantivo, nos jornais locais, por volta de 1920. A palavra designa a partir de então todos os conjuntos de habitações populares toscamente construídas, por via de regra nos morros, que se espalham pelo Rio de Janeiro e depois pelo país todo."

As primeiras favelas surgiram do choque de forças desencadeado pela abolição da escravatura e a conseqüente substituição do trabalho escravo pelo assalariado, gerando grande contingente de pobres e desempregados. Isso, no momento em que ocorria a decadência da cafeicultura e a explosão urbana e industrial. Diferente do que acontece hoje, no início do século XX a concentração dos pobres deu-se no centro das capitais, principalmente na cidade do Rio de Janeiro e na de São Paulo. Com isso, multiplicaram-se os cortiços: casas e sobrados superlotados, mal iluminados e em péssimas condições de higiene. Mas não tardou e o poder público decretou guerra aos cortiços, demolindo casas, erguendo edifícios, abrindo avenidas, redesenhando e valorizando o centro das capitais, processo que expulsou os desfavorecidos do núcleo urbano rumo à periferia e aos morros. Via de regra, nos bairros mais próximos ao centro, as antigas mansões de estilo colonial, baixas e ajardinadas, desapareceram quase completamente.

As capitais passaram a ser reformuladas para receber a frota de carros que a recém-chegada indústria automobilística começava a despejar no Brasil. A política que privilegia o transporte individual em vez de beneficiar o transporte público vem dessa época. É dos anos de 1930 a frase histórica do prefeito Prestes Maia, adiando a implantação do metrô e promovendo a construção de avenidas perimetrais, túneis, viadutos e radiais em São Paulo: "O metrô está certo como transporte, mas errado enquanto urbanismo." Será que é por essa razão que as favelas, principalmente as localizadas em morros, são estruturalmente antipáticas ao automóvel? Parece que sim, ao menos no plano das metáforas que iluminam as ações políticas e sociais.

Dos vários temas possíveis para uma antologia de autores brasileiros — carnaval, futebol, bandidagem, cultura indígena, cangaço, sertão nordestino, etc. —, o da favela foi escolhido por ser, dentre os estereótipos pitorescos e folclóricos de forte apelo no mundo todo, o mais apto a revelar duas faces distintas do Brasil: a lírica e a trágica. De qualquer maneira, o que queremos com esta antologia é justamente ir muito além do mero estereótipo difundido, por exemplo, por filmes como *Orfeu* (refilmagem de *Orfeu negro*, dirigido em 1959 por Marcel Camus), *Babilônia 2000*, de Eduardo Conti, e, mais recentemente, *Cidade de Deus*, que em 2004 foi indicado a quatro Oscar. Ou seja, desejamos nos aprofundar o máximo possível na complexa estrutura mitológica que a favela vem gestando, principalmente nas duas últimas décadas, com a expansão do tráfico de drogas. A favela é hoje, para a literatura urbana brasileira, o local da pura manifestação dos instintos e das pulsões, principalmente do sexo, da violência e do êxtase (por meio das drogas). Por ser o novo inconsciente urbano, ela propõe à metrópole em que está inserida e ao imaginário do homem de classe média o seu jogo de sedução e repulsa, compreensão e incompreensão, vida e morte. No plano mítico e simbólico, entre a cidade e a favela parece dar-se o eterno cabo-de-guerra histórico que sempre houve entre a cultura e a barbárie.

No passado, representações artísticas da favela brasileira não faltaram. Tarsila do Amaral e Candido Portinari pintaram o Morro da Favella. Le Corbusier fez croquis da favela. Além de Marcel Camus, Humberto Mauro também filmou a favela. João do Rio, Benjamin Costallat e Drummond escreveram sobre a favela. Mas nem sempre a idealização, os chavões e os lugares-comuns ficaram de fora dessas representações. Oswald de Andrade, na abertura do Manifesto Pau Brasil: "A poesia existe nos fatos. Os casebres de açafrão e de ocre nos verdes da Favela, sob o azul cabralino, são fatos estéticos."

Olhando para trás, agora à procura dos primeiros autores que trataram, com conhecimento de causa, da periferia e da favela, quatro se destacam, todos eles filhotes legítimos ou bastardos de Aluísio Azevedo, autor de *O cortiço*: Lima Barreto (1881-1922), Antônio Fraga (1916-1993), Carolina Maria de Jesus (1914-1977) e João Antônio (1937-1996). Lima Barreto foi um dos primeiros escritores que, tendo nascido mulato, pobre e enfermiço como o mestre Machado de Assis, diferente deste, ao longo da vida não se esforçou para se livrar dos traços suburbanos típicos da sua classe social. Leitor atento dos russos — principalmente de Dostoiévski —, Barreto cultivou inclusive o desleixo estilístico, antiacademicista e pouco aristocrático, para melhor representar o mau gosto das cenas que presenciava nas ruas da periferia do Rio de Janeiro. Foi dos mais finos moralistas que a literatura brasileira já teve. Nas suas crônicas, nos seus contos e romances conseguiu expor e criticar de maneira objetiva, sem jamais abrir mão da ironia e do humor, as mazelas da sociedade de seu tempo, entre as quais o drama da pobreza e do preconceito racial. Antônio Fraga e João Antônio seguiram os seus passos para longe do centro urbano, rumo à periferia, na direção do aluguel mais barato, da gíria, do contato com os pobres, os marginais e os excluídos da sociedade de consumo. O primeiro é o autor da bem-humorada novela *Desabrigo*, escrita em quatro dias e publicada em 1945, feita de fragmentos sem pontuação alguma, que se intercalam com citações extraídas das mais diferentes fontes. O segundo é o autor de dezenas de contos nos quais fundiu a linguagem das ruas com a da alta literatura, protagonizados por boêmios, prostitutas, gigolôs, artistas decadentes, jogadores e malandros de variada espécie. Já Carolina Maria de Jesus difere desses três não só na condição sexual, mas por ter sido semi-analfabeta e jamais ter tido outro emprego que não o de catadora de papel. Moradora da paulistana favela do Canindé, num barraco de treze metros quadrados, Carolina ficou mundialmente conhecida na década de 1960, graças à edição dos diários que manteve entre julho de 1955 e janeiro de 1960, publicados sob o título de *Quarto de despejo*.

Não é exagero dizer que a idéia que nós, cidadãos de classe média letrados e bem nutridos, fazemos da favela é na maior parte do tempo falsa e distorcida. Ou seja, a imagem de indigência e violência que guardamos da favela é outro estereótipo, outra construção ideológica veiculada pela televisão e pelos jornais. Nós raramente subimos o morro para conhecer as reentrâncias culturais dessas comunidades, da mesma maneira que raramente chega até nós a favela dos favelados, dos seus verdadeiros habitantes. Dos livros sobre esse tema, publicados no Brasil e em todo o Terceiro Mundo, quantos de fato foram escritos por autores que procuraram abordar a partir de dentro o mundo dos excluídos? Pouquíssimos. Entre nós, além dos já citados Lima Barreto, Antônio Fraga e João Antônio (que não escreveram diretamente da favela, mas dos seus arredores) e Carolina Maria de

Jesus (esta, sim, testemunha ocular do nascimento da nova civilização, como diria Dos Passos), temos o caso de Paulo Lins, com o best seller *Cidade de Deus* (que deu origem ao longa-metragem), e de Ferréz, com *Capão Pecado* e *Manual prático do ódio*. É claro que seria bastante ingênuo da nossa parte afirmar que a realidade da favela só poderia ser representada literariamente por alguém da própria favela. Na arte e na literatura, as coisas não funcionam de maneira tão mecânica.

Mas o fato é que, até agora, nenhum autor do centro, dos bairros de classe média ou alta, conseguiu fugir totalmente do estereótipo e registrar a verdadeira face desse universo periférico. Ou as *verdadeiras faces* — o plural parece soar melhor, pois, como no *Poema sujo*, de Ferreira Gullar, intuímos que há muitas favelas numa mesma favela, muitos favelados num só favelado. Esse é o motivo de encararmos a organização desta antologia como um verdadeiro desafio. São justamente as múltiplas falas da favela, as suas incontáveis faces — a lírica, a alegre, a violenta, a trágica, a mágica, a melancólica, a jocosa, a dinâmica, a arcaica, a contemporânea, entre outras —, que procuramos reunir com a ajuda de escritores das mais diferentes procedências (do centro e da periferia), donos de estilos e cosmovisões os mais diversos. Muitos desses autores moram ou moraram em favelas. Outros, dada a seriedade de seu projeto literário, já experimentaram a mesma imersão comentada no início deste texto, porém não com o objetivo de, no futuro, melhorar as vendas de tal absorvente ou de determinado xampu.

Já deve ter ficado mais do que claro que escrever sobre a favela — tanto faz se prosa, poesia ou ensaio — é trabalho perigoso, é correr o risco de repetir mitos preconceituosos e velhos dogmas. Licia Valladares, em seu estudo *A invenção da favela*, aponta os três dogmas mais resistentes, que há décadas têm turvado a visão de pesquisadores, escritores e artistas: o primeiro dogma apresenta a favela como o espaço da transgressão e da baixa qualidade de vida, o espaço ocupado de modo irregular e ilegal, fora das normas urbanas; o segundo dogma reafirma a teoria da marginalidade, ou seja, reafirma que a favela é o local da pobreza urbana, é o território dos miseráveis, e apenas isso; o terceiro dogma apregoa que a favela deve ser entendida sempre no singular, jamais no plural, fazendo da multiplicidade e da diversidade internas algo homogêneo e plano. Mas Licia contesta esse modo preguiçoso e estereotipado de enquadrar as favelas, difundido tanto pelos políticos e pesquisadores de direita quanto de esquerda. Para ela, "essa visão construída e coerente do universo das favelas, que resulta da articulação dos três dogmas que acabamos de apresentar, choca-se hoje com a emergência de uma realidade mais complexa e desconcertante, resistente à proposta dessa categorização redutora. Realidade que se deixa perceber claramente através de vários canais." Ou seja, está na hora de pararmos de definir a favela a partir do que ela não tem e começarmos a defini-la a partir do que ela tem. Certas favelas paulistanas e cariocas, por exemplo, apresentam qualidade de vida — água, luz, esgoto, índices de alfabetização, etc. — superior à de muitas regiões do Nordeste.

Nesta antologia, estão muitas favelas, cada qual vista de determinado ângulo social e afetivo. Como não podia deixar de ser, a favela da indigência, da bandidagem e do tráfico de drogas está aqui, com sua sombra perversa: é a face feia, suja e malvada que ainda não encontrou o seu Ettore Scola tupiniquim, capaz de registrar seu riso trágico. Mas também estão presentes neste livro os contornos humanos de outras favelas: da favela cheia de dignidade e de jogo de cintura na luta pela sobrevivência, da nostálgica favela do jogo do bicho e do samba, da contemporânea favela do pagode, do rap, do funk e do hip hop, todas elas muito maiores e mais instigantes do que essa que tanto tem freqüentado as páginas policiais e o cinema brasileiro.

NELSON DE OLIVEIRA
com a colaboração de Stéphane Chao

ALBERTO MUSSA

A mulher vedada

Do livro *Elegbara*, publicado
pela editora Revan em 1998.

Há muito tempo vinham acontecendo coisas estranhas no morro de Santo Antônio. Na verdade, as pessoas do morro é que eram estranhas, esquisitas. Não que diferissem essencialmente dos moradores das outras favelas: também carregavam fardos no cais, latas d'água na cabeça, filhos na barriga e pecados na alma; estavam sempre de boca aberta, rindo de alguma coisa ou reclamando da polícia. Mas quem percorresse a cidade, da Pequena África ao morro do Castelo, da praia da Lapa às ladeiras da Gamboa, poderia identificar — sem o mais ínfimo risco de erro — quem tinha nascido, quem morava ou mesmo quem tivesse passado uma simples temporada no morro de Santo Antônio.

Pois era como um sinete a expressão daqueles rostos além de tristes e aquém de inexpressivos; a marca dos que tinham chegado ao limite extremo da compreensão de si mesmos. Mas, para que se possa entender alguma coisa do problema, é necessário retroceder aos sucessos do dia 13 de junho de 1914.

* * *

Quando o morro acordou para a faina normal daquele dia, encontrou o corpo do estranho jogado no canto de um dos becos da favela, misturado com um monte de lixo esparramado, com um talho de navalha na garganta. Inicialmente, aquela morte parecia justa, já que ninguém conhecia o defunto, nem dali, nem do Castelo, nem mesmo das bandas da Saúde. Mas aos poucos o local onde jazia o cadáver foi chamando a atenção de todos.

Não era mais possível negar as circunstâncias que motivaram o crime. A morte não fora apenas justa; fora necessária.

Fique só o comentário discreto e breve de que foi sepultado a cinco palmos, sem maiores formalidades. E deve ser inútil lembrar não ser costume chorar desconhecidos.

Chegara ao Santo Antônio havia uns quinze dias. Ninguém sabia se trabalhava, embora a convicção geral fosse a de que se tratava de um desocupado. Os dados biográficos disponíveis nada acresciam: informava-se sobre ele o que valia para quase todos, ou seja, que era neto de escravos e vinha do norte.

A presença do estranho não teria causado incômodo não fosse sua insociabilidade. Não falava com as pessoas, não brincava com as crianças, não mexia com as moças de perna grossa. Tinha feito, inclusive, a declaração enigmática de que só estava ali para buscar a verdade. Por isso foi notado, observado, até seguido. E sua rotina, naqueles dias derradeiros, pôde ser traçada com relativa segurança: aparecia normalmente à tarde, quando ficava vagabundando pelos becos ou bebendo no botequim, mas sempre olhando na direção do fim do mundo, que coincidia com a do fim do morro.

Pelo hábito de ser o último a se retirar, ninguém pôde distinguir as vielas que tomava e o local em que dormia; havia suspeitas — é claro. Mas a dúvida sobre este ponto só foi esclarecida quando o encontraram morto no referido 13 de junho.

* * *

A estruturação das favelas obedece a uma lógica natural: os primeiros habitantes se estabelecem logo no início da ladeira; os que chegam depois, cada vez mais acima. No Santo Antônio, porém, era diferente.

Apesar de não ser alto, poucos aceitavam pacificamente a idéia de morar nos pontos mais elevados do morro. Os recém-chegados normalmente se instalavam nas partes baixas, promovendo um grande amontoamento de barracos, às vezes obstruindo ruas, quando não construíam perigosamente sobre casas mal alicerçadas. O que decerto provocaria confusão em outros lugares tinha ali uma tolerância que se poderia julgar irracional. Em conseqüência, o cume era só povoação dos doentes, dos miseráveis e dos temerários.

Mas havia coerência nisso tudo: é que nos confins do morro ficava o barraco da mulher vedada.

Diz a lenda que era extremamente feia, o que não define muita coisa. Na verdade, era a mulher mais feia do mundo. E não tinha aleijões, não era deformada: sua feiúra não decorria da falta ou da abundância. Era o resultado único de uma das possíveis combinações de traços humanos; era um feio intrínseco; um feio imanente.

Houve, por assim dizer, um pacto forçado entre os moradores e a feiosa, ainda na época da fundação da favela: esta ficaria trancafiada em seu barraco, sem poder descer sequer para transitar pelas vielas, em troca de comida e roupa. Por outro lado, ninguém deveria vê-la, só podendo aproximar-se do barraco durante o dia quem viesse para cumprir o trato.

E assim vinha acontecendo: a feiosa em seu cárcere e o Santo Antônio depondo em frente da sua casa o preço de um castigo a que não se associava qualquer crime aparente. Todos os dias, à noite, hora em que ninguém subia àqueles ermos, a feiosa vinha recolher sobras de comida e trapos molambentos. Essa prática acabou fazendo da soleira de seu exílio um lugar nojento, malcheiroso, podre, infestado de moscas e ratazanas, um vazadouro do lixo da favela.

E nesse monturo é que acharam o corpo do estranho.

*   *   *

Conhecer o motivo do crime não implicava saber o nome do assassino. Não sabiam ao certo — é o fato; porque, apesar de uma ou outra opinião divergente, dominavam as suspeitas sobre o encarregado do botequim, o velho da perna gangrenada e o ex-marujo do cordão de ouro.

Os fundamentos eram sólidos: na noite de 12 de junho, o encarregado ia constantemente à mesa onde sentavam o velho da gangrena e o ex-marujo, quando ficavam bebendo, cochichando e olhando para o estranho. A lavadeira, mãe dos gêmeos, lembra ter ouvido vozes de três homens, em hora bem adiantada, passando como que na direção do barraco da mulher vedada. E a vizinha do velho da gangrena tem certeza de ter acordado, no meio da madrugada, com o barulho de alguém que chegava correndo, batendo porta e tropeçando pela casa.

Nenhum dos três assumiu a culpa; e — dado curioso — admitiram ter seguido o estranho naquela noite, com intuito de descobrir quem era, onde morava, o que fazia.

Contam que subiu o morro às pressas; que parou no meio do lixo da feiosa; que tentaram convencê-lo a ir embora; que respondeu ter chegado "à essência de tudo o que existe"; que a feiosa apareceu; que disse ser a hora de procurar a beleza; que começou a se ataviar com objetos do monturo; que de repente, indignada, se desfez de tudo; que avançou para eles como uma morte coletiva; que os três recuaram; que ela só então percebeu o estranho; que o olhou com ternura; que este abriu os braços para recebê-la e caiu subitamente — quando os três fugiram, aterrados pela visão daquele ser medonho.

* * *

A mulher feiosa,
de maldito nome,
que só vive presa
pra livrar os homens,

é mulher vedada
que ninguém quer ver
e mesmo que veja
não quer conhecer.

Mesmo conhecida,
mesmo nomeada,
é mulher que nunca
deve ser tocada.

É mulher de sempre
mais que proibida:
mesmo se tocada,
nunca possuída.

É mulher que deve
ser imaculada:
até possuída,
mas jamais amada.

É mulher do nunca;
é mulher do não.
E, até se amada,
tem que ser em vão.

* * *

E o morro de Santo Antônio nunca chegou a conhecer a identidade do criminoso, também autor anônimo desses versos de samba-corrido. O fato é que já não se preocupavam em descobri-lo. Bastava saber que alguém pôde impedir a consumação do amor que teria aniquilado o fundamento de toda obra humana sobre a Terra. Mas a ciência dessa possibilidade foi a sua expiação.

Porque a mulher vedada, personificando o horror das coisas puras, sendo a essência sem o pudor da forma, confundiu-se com a substância da verdade que ela mesma catava.

Por isso se dizia que a verdade pairava sobre o mundo; e, quando a favela foi evacuada para a demolição do morro, que a verdade ia incógnita entre a gente.

ANTÔNIO FRAGA

Desabrigo

Excerto do livro *Desabrigo e outros trecos,* publicado
pela editora Relume Dumará em 1999.

PRIMEIRO ROUND

BANZÉ

Cobrinha entrou no buteco e botando dois tistas no balcão pediu pro coisa
— Dois de gozo
Coisada atendeu à la minuta Largou no copo talagada e pico de água-que-passarinho-não-topa e sem tirar a botuca da cara do cobrinha empurrou o getulinho
— Tou promovendo a bicada
Depois de enrustir o Nicolau e derramar gole pro santo cobrinha mandou o lubrificante guela abaixo Já desguiava quando pulga mordeu ele atrás da orelha e ele falou pra dentro "Quero ser mico catar bagana e coisa e loisa se nessa coisa do coisa não tem coisa" Então voltou e falou pra fora
— Promovendo por quê?
— Acertei um totó no veado…
— Que tem isso com o peixe?
— Por causa do mano
fez coisada que patolando um jornal mostrou pro cobra

SURURU NO MANGUE

Alta madrugada oscar pereira vulgo desabrigo topou na rua benedito hipólito com seu velho desafeto amauri dos santos silva mais conhecido na zona do canal e redondezas por cobrinha Gastando sutilezas do vernáculo cobrinha mandou o outro à ponte que caiu e como o já citado outro solicitasse a gaita da passagem lhe deu um tapa ficando a rua assim de gente pra ver o frege Ao ser esculachado desabrigo gritou que era macho e partiu feroz pra dentro de cobrinha empunhando um ferro Este sem dizer ao menos *mes amis mes ennemis cherchez l'étoile du matin* comprou uma sueca num marujo que gozava o esporro e deu uma solinjada na cara do parceiro abrindo larga avenida na referida cara Com a chegada da canastra cobrinha azulou e desabrigo foi encaminhado ao pronto-socorro onde teve oportunidade de fazer elogiosas referências às novas instalações

 Acabamos de rabiscar esta notícia quando fomos informados de que o delegado anacreonte feitosa em hábil diligência conseguiu encanar quatro estivadores pois suspeita que a sueca tenha entrado de contrabando pelo vapor mauritânia

GENTE DE FAMÍLIA

 Durvalina largou o jornal apagou a lâmpada e se espichou no berço Na porta do barraco desabrigo escolava a pivetada

 — No tempo dos bondes de burro existiu meu velho O falecido era mesmo do bafafá Quando a pilantragem via ele dava os pirantes com medo da seção de esquenta e os bacanaços vinham puxar saco por causa do doutor machado

 E desabrigo contou um bocado das vantagens que o velho dele fazia Só depois que os pivas já tavam espiantados é que ele contou a desvantagem

 — Pra vocês ver como homem era bicho otário com mulher naquele tempo vou contar uma ursada que uma dona fez com ele igualzinho como ele me contou...

 Não contou logo Pensou primeiro no velho e no jeito bonzão que ele tinha de tocar cuíca — cuíca na mão do velho até tocava ópera!

 — O velho falou assim "Me chamaram uma vez pra ir tocar cuíca num fandango Pois eu fui A farra ia bem quando uma dona se plantou perto da bateria e ficou grelando meu jeito de tocar Virou mexeu mexeu virou a gente se atracamos num maxixe e larguei as cantadas em cima da cuja Falei

falei falei mas ela ficou fazendo flozô 'Porque papai é brabo e mamãe não gosta... Pode ser mas tá difícil...' e mais uma porção de leros Porém como duma conversa ninguém não se livra a tal acabou entregando os pontos

"Não é que dias depois eu gemia mais do que cuíca! Tava engalicado até a alma e fiquei mancando da perna um porrão de tempo!

"Quando fiquei sarado fiz uma jura 'Se daqui pra frente eu largar as cantadas de novo em mais alguma gente de família me esqueço que sou nagô legítimo capanga do pinheiro machado e vou catar papel na rua'"

Desabrigo parou um bocado botou um crivo na boca e falou fazendo pouco

— Isso foi no tempo em que homem dava lugar pra mulher no bonde

Deu as palas pros pivas numa gaitolina alta e disse que era escolado que mulher com ele tinha é que meter os peitos senão mandava andar Dentro do barraco durvalina que tava escutando tudo fez cara de "o seu dia chegará"...

I – PONTO DE VISTA

Para os que infelicemente não tiveram a sorte de pousar os olhos num artiguinho que o tão renomado como modesto escritor campos de carvalho estampou em o número de 15-IX-41 de "Planalto" transcrevemos este bocadito

"Entendem eles que para nos emanciparmos do jugo português devemos, o quanto antes, emanciparmos da língua lusitana a nossa língua, e o melhor meio de o fazer será abrigarmos no idioma novo toda forma de linguagem chula, de calão, de barbarismos e de sujeira em que, desgraçadamente, sempre foi fértil o linguajar do povo. Em vez dos clássicos, dos puristas, dos Camões e caterva dos séculos passados, falem e pontifiquem os malandros, os analfabetos, os idiotas, as prostitutas e a ralé mais baixa."

PALPITES

Cobrinha andava teso pra chuchu Embora fosse safo tava dando uma azia danada Bem que ele podia afanar um estácio ou topar o basquete mas não era guindaste pra enfrentar batente e não queria se encalacrar com a dona justa

Quando coisada mostrou o jornal pra ele foi aí que pensou no bicho O mano era unha e carne e bem que podia largar um palpite pra ele né? O coisa falou que poder podia

— Só há um porém
— Mande lá!
— Não vá se abrir por aí

e coisada foi explicando loguinho em ritmo de samba que bastava comprar o jornal e ler todos desastres roubos crimes que tivesse Ouvindo ele cobrinha pensava que agora sim ia comprar terno de tussor camisa tricoline sapato sola dupla

— ...se um portuga tiver sido afanado morto ou ferido jogue no burro espanhol no porco brasileiro na águia gringo no gato
— Carcamano?
— Largue a grana sem dó no grupo do veado!
— Pera aí coisada! então por que tu jogou no veado hoje?
— Porque o delegado feitosa era anauê os anauê era parecido com os carcamano e como os carcamano corre mais do que veado...
— Os anauê são frutas

acabou cobrinha mostrando a falha de ouro numa baita risada que coisada igualou Derrepentemente ficaram sérios tomaram outra lambada boa da gostosa e cobrinha saiu na ponta do pé pra dormir até a hora de tomar café e vendo que fruta não é homem mas mulher também não é saiu pensando no zé e falou

— Pois é...

Três minutos depois do último período cobrinha subia o são carlos cheio de satisfa com vontade de dar boa noite pra todo mundo

Tava tão contente que começou a cantar com voz de radiador embriagado

Ó lua cheia
cheia de graça
este teu bucho
tá repleto de cachaça

Não tinha lua nenhuma ouvindo ele mas no céu de café estrela era mato

II – PONTO DE VISTA

Evêmero bateu a bota em mil-novecentos-e-quarenta-e-dois Semanas antes de bater ele disse não sei onde nem bem quando

"...vou escrever ele todo em gíria pra arreliar um porrilhão de gente Os anatoles vão me esculhambar Mas se me der na telha usar a ausência de pontuação ou fazer as preposições ir parar na quirica das donzelinhas cheias de nove-horas ou gastar a sintaxe avacalhada que dá gosto do nosso povo não tenho de modo nenhum que dar satisfações a qualquer sacanocrata não acha?"

W.C.

Metendo uma ginga lá nele cobrinha entrou no "café bar e bilhares flor do estácio" O gerente ia berrar que não tinha mais cabide pra pendurar nem tusta de cigarro quando o cobra pediu

— Dá licença de eu ir na privada?
— Tem gente

gerente explicou e teve vai-não-vai pra dizer que a gente era desabrigo Mas viu que podia se dar mal na galhada e se agüentou

Desabrigo se enfiara mesmo no w.c. para evitar encrenca Bem que bastava pra aporrinhar bastante uma carta que ele recebera assim

Senhor oscar

Cordiais saudações

Eu já andava queimada com o senhor porque me disseram que o senhor tinha dito que eu trabalhava pro senhor Ah meu Deus como eu fui boba! pensava que o senhor gostava de mim e o senhor estava me fazendo de boba Agora não quero mais saber do senhor porque já sei quem o senhor é Mesmo o senhor anda sujando o seu nome apanhando navalhada na cara e eu que fique envergonhada meu Deus! Não ligava pro dinheiro que dava pro senhor mas assim é demais!

Lhe aviso que vou fazer a vida na casa da sara de novo e só se o senhor não tiver vergonha é que o senhor vai lá Mas eu bato com a porta na sua cara com

toda a força e lhe dou um baile e vou dizer na polícia as suas sujeiras Pra mim não tem diferença fazer vida na rua ou na janela

Quando vivi com o senhor fazia na rua e lhe dava o dinheiro dos michês agora quero dar pra cafetina

Sem mais criada as ordens
Durvalina Pinto Lisboa

P.S. Desculpe a letra

Aquele "apanhando navalhada na cara" era de amargar Mas olhando pras paredes da latrina cheinhas de safadeza escrita e desenhada desabrigo tirou a forra lendo aqueles versos célebres

Neste lugar solitário
onde a vaidade se acaba
todo covarde faz força
todo valente se caga

Depois puxou a válvula pra atender o aviso da gerência e saiu mais aliviado

III – PONTO DE VISTA

O grande estilista professor doutor josé guerreiro murta assim opina sobre o uso da gíria no seu "como se aprende a redigir"

"É preciso banir da arte a baixeza e a grosseria. Se a literatura é uma arte, não pode aceitar tudo o que entra na linguagem trivial. Impõe-se uma escolha, mesmo quando se faz falar a gente do povo... Se o calão invadisse a literatura honesta, o nobre ofício de escritor tornar-se-ia desprezível e ajudaria a corromper os costumes."

LOÇÃO MERCÚRIO

Tadinho do desabrigo! Naquele dia tava pesado mesmo Não é que a durvalina pra dar dor de corno nele tava se abrindo toda na porta do café com o cobrinha?

Não há macumba nem igreja da penha nem centro espírita redentor que faça um cara criar tanto apetite como desabrigo naquela hora Largo do estácio foi pequeno pra ele se espalhar O outro largava o braço no pé do ouvido dele melado escorria e cadê que ele ligava? E aparecia malandro do pindura-saia de mangueira da vila e de todo canto saía homem mulher e criança pra ver o bate-fundo E até a tiragem batia palmas enquanto esperava que os dois acabassem pra meter eles no xilindró E todo o mundo vendo os dois agüentar a virada tanto tempo de mão limpa se espantava "Será o benedito?"

Mas daí a um nada desabrigo floreou o corpo feito mestre-sala enganou com a esquerda e mandou a direita Que rapa seu! O outro subiu dez metros e lá vai fumaça veio batizar o quengo na beira da calçada e ficou esparramado toda a vida

Foi aí que um camelô aproveitando o ajuntamento começou a dizer

— Os senhores vendo eu aqui me exibir pensarão que sou um mágico arruinado que não podendo trabalhar no palco vem aqui fazer uns truques pra depois correr o chapéu pedindo uns níqueis Mas eu não sou nada disso Sou um representante da afamada fábrica de perfumes mercúrio que não manda distribuir prospectos não bota anúncio no rádio nem nos jornais nem mesmo anúncios luminosos Esta casa meus senhores prefere contratar um técnico propagandista que saia por aí distribuindo gratuitamente os seus produtos Entre os maravilhosos preparados da fábrica de perfumes mercúrio encontra-se esta loção — a afamada loção mercúrio que elimina a caspa e a calvície mas não dá cabo da cabeça do freguês Se os senhores fossem adquirir este produto nas farmácias ou drogarias lhes cobrariam dez ou quinze mil réis Eu estou autorizado a distribuí-lo gratuitamente às pessoas que adquirirem o reputado sabonete minerva pelo qual cobro apenas dois mil réis para cobrir as despesas da publicidade...

Um aqui para o cavalheiro... outro para a senhorita...

CAROLINA MARIA DE JESUS

Quarto de despejo

Excertos do livro *Quarto de despejo,* publicado
pela editora Francisco Alves em 1960.*

22 de maio de 1958

Eu hoje estou triste. Estou nervosa. Não sei se choro ou saio correndo sem parar até cair inconciente. É que hoje amanheceu chovendo. E eu não saí para arranjar dinheiro. Passei o dia escrevendo. Sobrou macarrão, eu vou esquentar para os meninos. Cosinhei as batatas, eles comeram. Tem uns metais e um pouco de ferro que eu vou vender no seu Manuel. Quando o João chegou da escola eu mandei ele vender os ferros. Recebeu 13 cruzeiros. Comprou um copo de água mineral, dois cruzeiros. Zanguei com ele. Onde já se viu favelado com estas finezas?

...Os meninos come muito pão. Eles gostam de pão mole. Mas quando não tem eles comem pão duro.

Duro é o pão que nós comemos. Dura é a cama que dormimos. Dura é a vida do favelado.

Oh! São Paulo rainha que ostenta vaidosa a tua coroa de ouro que são os arranha-céus. Que veste viludo e seda e calça meias de algodão que é a favela.

...O dinheiro não deu para comprar carne, eu fiz macarrão com cenoura. Não tinha gordura, ficou horrível. A Vera é a única que reclama e pede mais. E pede:

---

* Os trechos do célebre diário de Carolina foram retirados da primeira edição, publicada em 1960 pela editora Francisco Alves. Essa edição preservou muitos dos *erros* gramaticais da autora. Erros que, do ponto de vista literário, são tão preciosos quanto os próprios acertos, mas apesar disso foram *corrigidos* em edições posteriores. (N. do O.)

— Mamãe, vende eu para a dona Julita, porque lá tem comida gostosa.

Eu sei que existe brasileiros aqui dentro de São Paulo que sofre mais do que eu. Em junho de 1957 eu fiquei doente e percorri as sedes do Serviço Social. Devido eu carregar muito ferro fiquei com dor nos rins. Para não ver os meus filhos passar fome fui pedir auxílio ao propalado Serviço Social. Foi lá que eu vi as lágrimas deslisar dos olhos dos pobres. Como é pungente ver os dramas que ali se desenrola. A ironia com que são tratados os pobres. A unica coisa que eles querem saber são os nomes e os endereços dos pobres.

Fui no Palacio, o Palacio mandou-me para a sede na av. Brigadeiro Luis Antonio. Avenida Brigadeiro me enviou para o Serviço Social da Santa Casa. Falei com a dona Maria Aparecida que ouviu-me e respondeu-me tantas coisas e não disse nada. Resolvi ir no Palacio e entrei na fila. Falei com o senhor Alcides. Um homem que não é niponico, mas é amarelo como manteiga deteriorada. Falei com o senhor Alcides:

— Eu vim aqui pedir um auxilio porque estou doente. O senhor mandou me ir na avenida Brigadeiro Luis Antonio, eu fui. Avenida Brigadeiro mandou-me ir na Santa Casa. E eu gastei o único dinheiro que eu tinha com as conduções.

— Prende ela!

Não me deixaram sair. E um soldado pois a baioneta no meu peito. Olhei o soldado nos olhos e percebi que ele estava com dó de mim. Disse-lhe:

— Eu sou pobre, porisso é que vim aqui.

Surgiu o dr. Osvaldo de Barros, o falso filantropico de São Paulo que está fantasiado de São Vicente de Paula. E disse:

— Chama um carro de preso!

23 de maio

Levantei de manhã triste porque estava chovendo. (...) O barraco está numa desordem horrível. É que eu não tenho sabão para lavar as louças. Digo louça por hábito. Mas é as latas. Se tivesse sabão eu ia lavar as roupas. Eu não sou desmazelada. Se ando suja é devido a reviravolta da vida de um favelado. Cheguei a conclusão que quem não tem de ir pro céu, não adianta olhar para cima. É igual a nós que não gostamos da favela, mas somos obrigados a residir na favela.

...Fiz a comida. Achei bonito a gordura frigindo na panela. Que espetaculo deslumbrante! As crianças sorrindo vendo a comida ferver nas panelas. Ainda mais quando é arroz e feijão, é um dia de festa para eles.

Antigamente era a macarronada o prato mais caro. Agora é o arroz e feijão que suplanta a macarronada. São os novos ricos. Passou para o lado dos fidalgos. Até vocês, feijão e arroz, nos abandona! Vocês que eram os amigos dos marginais, dos favelados, dos indigentes. Vejam só. Até o feijão nos esqueceu. Não está ao alcance dos infelizes que estão no quarto de despejo. Quem não nos despresou foi o fubá. Mas as crianças não gostam de fubá.

Quando puis a comida o João sorriu. Comeram e não aludiram a cor negra do feijão. Porque negra é a nossa vida. Negro é tudo que nos rodeia.

...Nas ruas e casas comerciais já se vê as faixas indicando os nomes dos futuros deputados. Alguns nomes já são conhecidos. São reincidentes que já foram preteridos nas urnas. Mas o povo não está interessado nas eleições, que é o cavalo de Troia que aparece de quatro em quatro anos.

...O céu é belo, digno de contemplar porque as nuvens vagueiam e formam paisagens deslumbrantes. As brisas suaves perpassam conduzindo os perfumes das flores. E o astro rei sempre pontual para despontar-se e recluir-se. As aves percorrem o espaço demonstrando contentamento. A noite surge as estrelas cintilantes para adornar o céu azul. Há várias coisas belas no mundo que não é possível descrever-se. Só uma coisa nos entristece: os preços, quando vamos fazer compras. Ofusca todas as belezas que existe.

A Theresa irmã da Meyri bebeu soda. E sem motivo. Disse que encontrou um bilhete de uma mulher no bolso do seu amado. Perdeu muito sangue. Os medicos diz que se ela sarar ficará imprestavel. Tem dois filhos, um de 4 anos e outro de 9 meses.

26 de maio

Amanheceu chovendo. E eu tenho só quatro cruzeiros, e um pouco de comida que sobrou de ontem e uns ossos. Fui buscar agua para por os ossos ferver. Ainda tem um pouco de macarrão, eu faço uma sopa para os meninos.

Vi uma vizinha lavando feijão. Fiquei com inveja. (...) Faz duas semanas que eu não lavo roupas por não ter sabão. Vendi umas taboas por quarenta cruzeiros. A mulher disse-me que paga hoje. Se ela pagar eu compro sabão.

...Ha dias que não vinha policia aqui na favela, e hoje veio, porque o Julião deu no pai. Deu-lhe uma cacetada com tanta violencia, que o velho chorou e foi chamar a policia.

27 de maio

...Percebi que no Frigorifico jogam creolina no lixo, para o favelado não catar a carne para comer. Não tomei café, ia andando meio tonta. A tontura da fome é pior do que a do alcool. A tontura do alcool nos impele a cantar. Mas a da fome nos faz tremer. Percebi que é horrivel ter só ar dentro do estomago.

Comecei sentir a boca amarga. Pensei: já não basta as amarguras da vida? Parece que quando eu nasci o destino marcou-me para passar fome. Catei um saco de papel. Quando eu penetrei na rua Paulino Guimarães, uma senhora me deu uns jornais. Eram limpos, eu deixei e fui para o deposito. Ia catando tudo que encontrava. Ferro, lata, carvão, tudo serve para o favelado. O Leon pegou o papel, recibi seis cruzeiros. Pensei guardar o dinheiro para comprar feijão. Mas, vi que não podia porque o meu estomago reclamava e torturava-me.

...Resolvi tomar uma media e comprar um pão. Que efeito surpreendente faz a comida no nosso organismo! Eu que antes de comer via o céu, as arvores, as aves tudo amarelo, depois que comi, tudo normalizou-se aos meus olhos.

...A comida no estomago é como o combustivel nas maquinas. Passei a trabalhar mais depressa. O meu corpo deixou de pesar. Comecei andar mais depressa. Eu tinha impressão que eu deslisava no espaço. Comecei sorrir como se estivesse presenciando um lindo espetaculo. E haverá espetaculo mais lindo do que ter o que comer? Parece que eu estava comendo pela primeira vez na minha vida.

...Chegou a Radio Patrulha, que veio trazer dois negrinhos que estavam vagando na Estação da Luz. Quatro e seis anos. É fácil perceber que eles são da favela. São os mais maltrapilhos da cidade. O que vão encontrando pelas ruas vão comendo. Cascas de banana, casca de melancia e até casca de abacaxi, que é tão rustica, eles trituram (...) Estavam com os bolsos cheios de moedas de aluminio, o novo dinheiro em circulação.

28 de maio

Amanheceu chovendo. Tenho só treis cruzeiros porque emprestei cinco para Leila ir buscar a filha no hospital. Estou desorientada, sem saber o que iniciar. Quero escrever, quero trabalhar, quero lavar roupa. Estou com frio. E não tenho sapato para calçar. Os sapatos dos meninos estão furados.

...E o pior na favela é o que as crianças presenciam. Todas crianças da favela sabem como é o corpo de uma mulher. Porque quando os casais que se embriagam brigam, a mulher, para não apanhar sai nua para a rua. Quando começa as brigas os favelados deixam seus afazeres para presenciar os bate-fundos. De modo que quando a mulher sai correndo nua é um verdadeiro espetáculo para o Zé Povinho. Depois começam os comentarios entre as crianças:

— A Fernanda saiu nua quando o Armim estava lhe batendo.
— Eu não vi. Ah! Que pena!
— E que jeito é a mulher nua?

E o outro para citar-lhe aproxima-lhe a boca do ouvido. E ecoa-se as gargalhadas estrepitosas. Tudo que é obseno pornografico o favelado aprende com rapidez.

...Tem barracões de meretrizes que praticam suas cenas amorosas na presença das crianças.

...Os visinhos ricos de alvenaria dizem que nós somos protegidos pelos politicos. É engano. Os politicos só aparece aqui no quarto de despejo, nas epocas eleitorais. Este ano já tivemos a visita do candidato a deputado dr. Paulo de Campos Moura, que nos deu feijão e otimos cobertores. Que chegou numa epoca oportuna, antes do frio.

...O que eu quero esclarecer sobre as pessoas que residem na favela é o seguinte: quem tira proveito aqui são os nortistas. Que trabalham e não dissipam. Compram casa ou retornam-se ao Norte.

...Aqui na favela há os que fazem barracões para residir e os que fazem para alugar. E os alugueis são 500 a 700,00. E os que fazem barracões para vender. Gasta 4 mil cruzeiros e vendem por 11 mil cruzeiros. Quem fez muitos barracões para vender foi o Tiburcio.

29 de maio

Até que enfim parou de chover. As nuvens deslisa-se para o poente. Apenas o frio nos fustiga. E varias pessoas da favela não tem agasalhos. Quando uns tem sapatos, não tem palitol. E eu fico condoida vendo as crianças pisar na lama. (...) Percebi que chegaram novas pessoas para a favela. Estão maltrapilhas e as faces desnutridas. Improvisaram um barracão. Condoí-me de ver tantas agruras reservadas aos proletarios. Fitei a nova companheira de infortunio. Ela olhava a favela, suas lamas e suas crianças pauperrimas. Foi o olhar mais triste que eu já presenciei. Talvez ela não mais tem ilusão. Entregou sua vida aos cuidados da vida.

...Há de existir alguém que lendo o que eu escrevo dirá... isto é mentira! Mas, as miserias são reais.

...O que eu revolto é contra a ganancia dos homens que espremem uns aos outros como se espremesse uma laranja.

30 de maio

...Troquei a Vera e saimos. Ia pensando: será que Deus vai ter pena de mim? Será que eu arranjo dinheiro hoje? Será que Deus sabe que existe as favelas e que os favelados passam fome?

...O José Carlos chegou com uma sacola de biscoitos que catou no lixo. Quando eu vejo eles comendo as coisas do lixo penso: E se tiver veneno? É que as crianças não suporta a fome. Os biscoitos estavam gostosos. Eu comi pensando naquele proverbio: quem entra na dança deve dançar. E como eu também tenho fome, devo comer.

Chegaram novas pessoas para a favela. Estão esfarrapadas, andar curvado e os olhos fitos no solo como se pensasse na sua desdita por residir num lugar sem atração. Um lugar que não se pode plantar um flor para aspirar o seu perfume, para ouvir o zumbido das abelhas ou o colibri acariciando-a com seu frágil biquinho. O unico perfume que exala na favela é a lama podre, os excrementos e a pinga.

...Hoje ninguem vai dormir porque os favelados que não trabalham já estão começando a fazer batucada. Lata, frigideira, panelas, tudo serve para acompanhar o cantar desafinado dos notivagos.

31 de maio

Sabado — o dia que quase fico louca porque preciso arranjar o que comer para sabado e o domingo. (...) Fiz o café, e os pães que eu ganhei ontem. Puis feijão no fogo. Quando eu lavava o feijão pensava: Eu hoje estou parecendo gente bem — vou cozinhar feijão. Parece até um sonho!

...Ganhei bananas e mandiocas na quitanda da rua Guaporé. Quando eu voltava para a favela, na avenida Cruzeiro do Sul 728 uma senhora pediu-me para eu ir jogar um cachorro morto dentro do Tietê que ela me dava cinco cruzeiros. Deixei a Vera com a mulher e fui. O cachorro estava dentro de um saco. A mulher ficou observando os meus passos à paulistana. Quer dizer andar depressa. Quando voltei ela deu-me seis cruzeiros. Quando recebi os seis cruzeiros pensei: já dá para comprar um sabão.

...Cheguei na favela: eu não acho geito de dizer cheguei em casa. Casa é casa. Barracão é barracão. O barraco tanto no interior como no exterior estava sujo. E aquela desordem aborreceu-me. Fitei o quintal, o lixo podre exalava mau cheiro. Só aos domingos que eu tenho tempo de limpar.

Eu havia comprado um ovo e 15 cruzeiros de banha no seu Eduardo. E fritei o ovo para ver se parava as nauseas. Parou. Percebi que era fraqueza. O medico mandou-me comer oleo mas eu não posso comprar. (...) Fui fazendo o jantar. Arroz, feijão, pimentão e choriço e mandioca frita. Quando a Vera viu tanta coisa disse: Hoje é festa de negro!

...Perguntei a uma senhora que vi pela primeira vez:

— A senhora está morando aqui?

— Estou. Mas faz de conta que não estou, porque eu tenho muito nojo daqui. Isto aqui é lugar para os porcos. Mas se puzessem os porcos aqui haviam de protestar e fazer greve. Eu sempre ouvi falar na favela, mas não pensava que era um lugar tão asqueroso assim. Só mesmo Deus para ter dó de nós.

1 de junho

É o início do mês. É o ano que deslisa. E a gente vendo os amigos morrer e outros nascer. (...) É treis e meia da manhã. Não posso durmir. Chegou o tal Vitor, o homem mais feio da favela. O representante do bicho papão. Tão feio, e tem duas mulheres. Ambas vivem juntas no mesmo barraco. Quando ele veio residir na favela veio demonstrando valentia. Dizia:

— Eu fui vacinado com o sangue do Lampeão!

Dia 1 de janeiro de 1958 ele disse-me que ia quebrar-me a cara. Mas eu lhe ensinei que *a é a* e *b é b*. Ele é de ferro e eu sou de aço. Não tenho força fisica, mas as minhas palavras ferem mais do que espada. E as feridas são incicatrisaveis. Ele deixou de aborrecer-me porque eu chamei a radio patrulha para ele, e ele ficou quatro horas detido. Quando ele saiu andou dizendo que ia matar-me. Então o Adalberto disse-lhe:

— É o pior negocio que você vai fazer. Porque se você não matá-la ela é quem te mata.

Eu tenho uma habilidade que não vou relatar aqui, porque isto há de defender-me. Quem vive na favela deve procurar isolar-se, viver só. O Vitor está tocando radio. Penso: Hoje é domingo e nós podiamos dormir até as oito. Mas aqui não há consideração mutua.

Eu nada tenho que dizer da minha saudosa mãe. Ela era muito boa. Queria que eu estudasse para professora. Foi as contingencias da vida que lhe impossibilitou concretizar o seu sonho. Mas ela formou o meu carater, ensinando-me a gostar dos humildes e dos fracos. É porisso que eu tenho dó dos favelados. Se bem que aqui tem pessoas dignas de despreso, pessoas de espirito perverso. Esta noite a dona Amelia e o seu companheiro brigaram. Ela disse-lhe que ele está com ela por causa do dinheiro que ela lhe dá. Só se ouvia a voz de dona Amelia que demonstrava prazer na polemica. Ela teve varios filhos. Distribuia todos. Tem dois filhos moços que ela não os quer em casa. Pretere os filhos e prefere os homens.

O homem entra pela porta. O filho é raiz do coração.

É quatro horas. Eu já fiz o almoço — hoje foi almoço. Tinha arroz, feijão e repolho e linguiça. Quando eu faço quatro pratos penso que sou alguém. Quando vejo meus filhos comendo arroz e feijão, o alimento que não está ao alcance do favelado, fico sorrindo atoa. Como se eu estivesse assistindo um espetaculo deslumbrante. Lavei as roupas e o barracão. Agora vou ler e escrever. Vejo os jovens jogando bola. E eles correm pelo campo demonstrando energia. Penso: Se eles tomassem leite puro e comessem carne...

2 de junho

Amanheceu fazendo frio. Acendi o fogo e mandei o João ir comprar pão e café. O pão, o Chico do Mercadinho cortou um pedaço.

Eu chinguei o Chico de ordinario, cachorro, eu queria ser um raio para cortar-lhe em mil pedaços. O pão não deu e os meninos não levaram lanche.

...De manhã eu estou sempre nervosa. Com medo de não arranjar dinheiro para comprar o que comer. Mas hoje é segunda-feira e tem muito papel na rua. (...) O senhor Manuel apareceu dizendo que quer casar-se comigo. Mas eu não quero porque já estou na maturidade. E depois, um homem não há de gostar de uma mulher que não pode passar sem ler. E que levanta para escrever. E que deita com lapis e papel debaixo do travesseiro. Por isso é que eu prefiro viver só para o meu ideal. Ele deu-me cinqüenta cruzeiros e eu paguei a costureira. Um vestido que fez para a Vera. A dona Alice veiu se queixar que o senhor Alexandre estava lhe insultando por causa de 65 cruzeiros. Pensei: ah! o dinheiro! Que faz morte, que faz odio criar raiz.

3 de junho

...Quando eu estava no ponto do bonde a Vera começou a chorar. Queria pasteis. Eu estava só com 10 cruzeiros, dois para pagar o bonde e oito para comprar carne moida. A dona Geralda deu-me quatro cruzeiros para eu comprar os pasteis, ela comia e cantava. E eu pensava: o meu dilema é sempre a comida! Tomei o bonde. A Vera começou a chorar porque não queria ir em pé e não tinha lugar para sentar.

...Quando eu estou com pouco dinheiro procuro não pensar nos filhos que vão pedir pão, pão, café. Desvio meu pensamento para o céu. Penso: será que lá em cima tem habitantes? Será que eles são melhores do que nós? Será que o predominio de lá suplanta o nosso? Será que as nações de lá é variada igual aqui na terra? Ou é uma nação unica? Será que lá existe favela? E se lá existe favela será que quando eu morrer eu vou morar na favela?

...Quando eu comecei escrever ouvi vozes alteradas. Faz tanto tempo que não há briga na favela. (...) Era a Odete e o seu esposo que estão separados. Brigavam porque ele trouxe outra mulher no carro que ele trabalha. Elas estavam na casa do seu Francisco irmão do Alcino. Sairam para a rua. Eu fui ver a briga. Agrediram a mulher que estava com o Alcino. Quatro mulheres e um menino avançaram na mulher com tanta violencia e lhe jogaram no solo. A Marli saiu. Disse que ia buscar uma pedra para jogar na cabeça da mulher. Eu puis a mulher no carro e o Alcino e mandei eles ir-se embora. Pensei em chamar a Policia. Mas até a Policia chegar eles matavam a mulher. O Alcino deu uns tapas na sogra, que é a pior agitadora. Se eu não entro para auxiliar o Alcino ele ia levar desvantagem. As mulheres da favela são horriveis numa briga. O que podem resolver com palavras elas transformam em conflito. Parecem corvos, numa disputa.

...A Odete revoltou-se comigo por ter defendido o Alcino. Eu disse:
— Você tem quatro filhos para criar.
— Eu não me importo. Eu queria era matá-la.
Quando eu empurrava a mulher para dentro do carro, ela disse-me:
— Só a senhora é que é boa.
Eu tinha a impressão que estava retirando um pedaço de osso da boca dos cachorros. E a Odete vendo o seu esposo sair com a outra no carro, ficou furiosa. Vieram chingar-me de entrometida. Eu penso que a violência não resolve nada. (...) Assembleia de favelados é com paus, facas, pedradas e violências.

...A favela é o quarto das surpresas. Esta é a quinta mulher que o Alcino traz aqui na favela. E a sua esposa quando vê, briga.

...A favela hoje está quente. Durante o dia a Leila e o seu companheiro Arnaldo brigaram. O Arnaldo é preto. Quando veio para a favela era menino. Mas que menino! Era bom, iducado, meigo, obidiente. Era o orgulho do pai e de quem lhe conhecia.

— Este vai ser um negro, sim senhor!
É que na África os negros são classificados assim:
— Negro *tú*.
— Negro *turututú*.
— É negro sim senhor!

Negro *tú* é o negro mais ou menos. Negro *turututú* é o que não vale nada. E o negro *Sim Senhor* é o da alta sociedade. Mas o Arnaldo transformou-se em negro *turututú* depois que cresceu. Ficou estupido, pornografico, obceno e alcoolatra. Não sei como é que uma pessoa pode desfazer-se assim. Ele é compadre da dona Domingas.

Mas que compadre!

Dona Domingas é uma preta boa igual ao pão. Calma e util. Quando a Leila ficou sem casa foi morar com dona Domingas.

...A dona Domingas era quem lavava a roupa da Leila, que lhe obrigou a dormir no chão e lhe dar o leito. Passou a ser a dona da casa. Eu dizia:

— Reage, Domingas!
— Ela é feiticeira, pode botar um feitiço em mim.
— Mas o feitiço não existe.
— Existe sim. Eu vi ela fazê.

É porque a Leila andava dizendo que consertava vidas. E eu vi várias senhoras ricas aparecer por aqui. Havia a tal dona Guiomar, Edviges Gonçalves, a mulher que tem varios nomes e varias residencias porque compra a prestação e não paga e dá o nome trocado onde compra. Quando sai na rua parece a Maria Antonieta. E a dona Guiomar concorreu para escravisar a dona Domingas. (...) A dona Domingas recebe uma pensão do seu extinto esposo. E era obrigada a dar dinheiro para a Leila que é companheira do Arnaldo. Ele sendo compadre da Domingas, era para defender a comadre. Mas ele explorava. Dividia o dinheiro entre os dois. E ainda praticava suas cenas amorosas perto do afilhado.

...A dona Domingas saiu de casa. Foi para Carapicuiba, morar com dona Iracema. Ficou o seu filho Nilton. Eu fiz tudo para retirar o menino. Mas a Leila lhe dizia:

— Eu sou feiticeira. Se você for embora eu faço você virar um elefante.

Eu encontrava o Nilton:

— Bom dia, Nilton. Você não quer ir com a tua mãe?

— Eu não vou porque a Leila disse-me que ela é feiticeira e se eu for embora ela vai fazer eu virar um elefante e o elefante é um bicho muito muito feio. Sabe, dona Carolina, e se ela fazer eu virar um porco? Eu tenho que comer lavagem e alguém há de querer me por num chiqueiro para eu engordar. Vão me capar. E se ela fazer eu virar um cavalo, alguém há de me por para puchar uma carroça e ainda me dá chicotada.

...Quando o Nilton começou a passar fome, foi com a mãe. Pensei: a fome também serve de juiz.

Um dia eu discutia com a Leila. Ela e o Arnaldo puseram fogo no meu barracão. Os vizinhos apagaram.

CECÍLIA PRADA

La Pietà

Do livro *O caos na sala de jantar*,
publicado pela editora Ática em 1964.

Cidade do Vaticano (21) — "La Pietà", a primeira escultura religiosa do Renascimento italiano, famosa em todo o mundo e venerada no Vaticano por fiéis e milhões de peregrinos, foi parcialmente dest...

Olhou para a barriga, sorriu. De manhã tão cedo. O ônibus da Rocinha sacolejava. Tinha deixado o café pronto para quando o João acordasse, no barraco.

Contanto que nasça bem. Vai ser um menino. João, também. Ou Francisco, que nem meu pai. O ônibus sacode, dá uma dor aqui, tanta pedra, estrada ruim, não vai chegar nunca lá embaixo? Bobagem, faz mal não. Cunhada Maria sofreu até desastre da Central, de sete meses. E o menino nasceu.

...parcialmente destruída. O ato de vandalismo ocorreu às nove horas da manhã, diante da multidão que fazia fila diante da célebre obra que...

No hospital do Instituto, uma fila enorme de mulheres de barriga avançando para o mundo, as mulheres, as mulheres todas e suas barrigas, tristes barrigas, as mulheres se debruçando em suas barrigas. Na seção que tinha um nome esquisito, Damiana soletrava a custo, "gi-ne-co-lo-gi-a... obs-te..."

...que é uma das mais célebres expressões da cultura humana.

O médico gritou:

— Você aí, não está ouvindo? Avança logo que tenho mais o que fazer. Tira a roupa.

Tira a roupa. Tira a calça. Anda. Deita. Levanta. Tira a calça.

A enfermeira gorda sacudiu-a:

— Tira tudo.

O toque doeu. Ela deu um gemido. Bruto. Que nem o João, quando queria ela deixava, mas pensava vai fazer mal prô menino... Abria a perna. Deixava. O João. O médico. Estripada, pensou. De perna aberta prô mundo, sua puta.

— Levanta, o que tá pensando?

— Elas pensam que a gente tem o dia todo. Não vai ser fácil não, vou dizendo logo. Se sentir dor, venha logo. De carro. Se puder. Onde mora?

— Na Rocinha.

— Hum!... Mande entrar a seguinte.

O pavoroso atentado abalou profundamente os meios artísticos, religiosos, culturais. Sua Santidade, que acabava de regressar de Castel Gandolfo...

Foi atacada pelas costas. Sentiu a pancada forte, assalto, pensou, virou, viu o irmão, os olhos vermelhos, tinha bebido de novo, avançava novamente de mão aberta.

— Tônio!

Rolou com a bofetada.

— Toma, sua puta, foi casar com negro, eu disse que ainda te pegava, sua puta sua vaca sua sem-vergonha, toma!

— Tônio... o menino...

Toma, toma e toma, soco descendo nas costas, ai, na barriga não, Tônio, tem piedade, meu Deus.

Ele armou a mão novamente. Armou o pé. Bêbado. A gente começava a correr, dos barracos.

— Desgraçado, batendo em mulher prenhe.

— Segura ele.

— Vaca, tu nunca prestou, casada com aquele negro!

— Segura, ele mata ela.

O João mata ele. Me mata. Se ficar sabendo.

— Leva depressa para o pronto-socorro, a criança pode nascer.

Os solavancos do caminhão muito pior que o ônibus, mas vai levando, vou chegar logo em tudo brutalidade bruto bruto tudo, os homens, o mundo. Seu menino, seu menino ali... Ai, tá doendo, morreu, não, tá mexendo, meu Deus, ai meu Deus, o que eu mais queria, o menino...

— Não chora não, dona. Já estamos chegando. Aquele desgraçado devia mais era morrer.

O autor do atentado, um húngaro chamado Lazlo Toth, era geólogo e residia na Austrália. Já tinha morado antes na Itália, tendo sido expulso pelas autoridades por...

Seu irmão. Seu próprio irmão. Não queria que casasse com preto. Nem com ninguém. Tinha ciúme, sempre tinha, de qualquer namorado. Queria ela pra ele só, pegava ela de noite quando era menina, pegava, ela tinha medo e deixava, era puta era puta tinha dormido com o próprio irmão. Deus castigava abria a perna prô João prô médico, não valia nada, mas tinha o menino, sempre tinham dito a Damiana tem um jeito com criança, seus sorrisinhos, seus narizinhos, úmidos bichinhos.

O médico do pronto-socorro era mocinho, não tinha cara ruim que nem o do Hospital do Instituto. Mocinho assim, ia entender de barriga grande?

— Parece... Não. Acho que não aconteceu nada. Quantos meses?

— Sete.

— Não. Não tem sangramento. Dores?

— Nas costas. No braço. Tá tudo moído.

— Isso é das pancadas que levou. Deu parte?

— Fugiu. Não sei quem era.

— Levou na barriga?

Ela não sabia direito. Tinha caído. O médico olhou para a enfermeira. Depois disse:

— Faça os curativos, dê um calmante forte. Olha, você vai para casa e fica muito quietinha, ouviu?

Uma ruga em sua testa.

— Procure ficar deitada. Mas não fique preocupada não, o seu bebê vai nascer direitinho. Se sentir alguma coisa...

— O senhor faz o parto?

O sextanista riu.

— Não. Só dou plantão aqui.

Pôs a mão no ombro dela.

— Fique sossegada. Coitadinha. Fique sossegada. O bebê vai nascer bem.

Ele não tinha aberto ela pelo meio, estripada como os outros. Não tem sangramento. Ele olhou, tocou. De leve. Tinha homem que tocava de leve, com jeito, nem doía. Tinha. Mas não era para ela. Abaixou a cabeça, entrou no caminhão.

— Tá tudo bem, podemos voltar. O senhor é muito bom.

— Não é nada não, dona. Pobre tem de ajudar o outro. Eu pegava aquele desgraçado que fez isso e matava.

...*O desalmado concentrou a sua fúria assassina na figura da Santíssima Virgem, cujo braço esquerdo demoliu completamente.*

Uma dor bem dentro dela, parecia, bem no coração. O médico bonito tinha sorrido, era homem da praia do Leblon ou de Ipanema, decerto tinha namorada magrinha de biquíni roxo. Passou a mão no rosto picado de varíola.

O pontapé, ele tinha perguntado, o pontapé não, acho que não, senão o menino tava morto. Que sorte o pontapé não pegou. Uma vez, ela tinha onze anos. Ele pegava ela de noite ela não tinha coragem de dizer para a mãe, ele disse que matava se ela contasse. A primeira vez tinha doído muito, ela tinha sangrado. *Não tem sangramento.* Ela tinha sangrado — sentada na cama, o sangue correndo. Onze anos. O sangue era quente. Era a primeira vez que tinha pensado no sangue, como o sangue é quente, meu Deus. Não conta que eu te mato. Deixava. Se abrindo. Puta. Uma vez pensou que parece que gostava. Pensou isso e ficou batendo a cabeça na parede. Fez um galo. A mãe dizia:

— Essa menina é doida.

Só com ela acontecia, decerto. Não prestava. Uma noite ele tinha dado um pontapé nela, tava caindo de bêbado, sua puta, tinha dito. Ela tinha onze anos.

Não se preocupe, viu, coitadinha, não vai acontecer nada, minha filha. Tinha dito assim, *minha filha.* Bem devagarinho. Modos de gente rica educada falar. Grudou as mãos no assento até ficarem roxas.

— Tá sentindo alguma dor, dona?

— Não. Não. Tô bem. Tô só pensando.

— Melhor não pensar.

Melhor não pensar. Minha filha... Fique bem quietinha, ouviu? Se sentir alguma coisa... Um modo de falar. De sorrir para ela. Um modo de falar que tava doendo mais dentro dela, parecia, que os socos do irmão, os tapas na cara que levava do João, também.

Em seguida o energúmeno atacou o rosto da Santa Virgem, quebrando o nariz e os olhos.

Entrou no barraco devagarinho, o João estava emborcado, tinha bebido também, quem sabe? Deitou devagarinho, com medo. Uma dor funda, vontade de chorar dolorida, Deus, ah Deus meu, existia Deus? Deus castigava assim? Ela, o João, o menino... Mas o menino se mexia dentro dela... Fique quietinha, ouviu? Ficou quietinha, ouvindo, na noite. Uma asa dentro dela se mexia, seu menino — carícia vinda de dentro. Ficou olhando o teto, muito parada, olhar fixo. Esperando. Tinha medo de dormir, tinha medo que o menino... Os olhos ardiam, esperando. Esperando.

(Passos, passos. Que vinham — que cresciam de todos os lados. Energúmenos de punhos erguidos. Uma enorme vaga. Fúria assassina. De todos os cantos da terra. Um martelo. Enorme martelo erguido, vinha.

Na noite da antecâmara pontifícia, um grito foi ouvido.

O Primeiro Camareiro olhou para o Segundo Camareiro:

— *Há gridato, Sua Santità?*

— *Forse há fatto um cattivo sogno, poverino!*)

A dor chegou de repente. Como um grito, enorme vaga erguendo-se dentro dela, no seu ventre. Quando tudo estava assim parado. A dor chegando dentro do sono de calmante. Partindo-a. Enorme machado caindo sobre ela.

— João!... O menino...

Iam descendo o morro. Não tinha mais ônibus, naquela hora. Barranco. Morro. Feito de tantos pequenos morros. Pedra. Tanta pedra. O morro é duro. O morro era contra ela. O mundo. Áspero. É a vida. Que nem sangue escorrendo quente na perna. Que sentia. A pedra dura o morro duro sempre descendo subindo sempre sempre, pedra doendo na sola fina do sapato, vida de pobre.

Numa curva da estrada viram o mar de repente, lá embaixo espalhado, espelho. Quieto dormia, o mar?

Ia clareando quando chegaram no Leblon.

— Agora a gente pega um táxi. Dez deve dar.

Fizeram sinal. O motorista ia parando. Olhou para eles e acelerou. Outro, num carro verde e grande, todo lustroso, passou de longe, virando para olhá-los, ela toda curvada, a dor tomando-a. Pobre não ajuda pobre. Ninguém tem pena. Motorista de táxi não era pobre, que nem eles.

Um fusca azul parou.

— É pra já, dona? Entra que a gente dá um jeito.

Tem gente boa. Tem gente muito boa, ainda.

O mar via-se de longe, uma pontuação ali no fim de cada quadra, azul parado calminho, assim de manhãzinha. Azul é cor de menino. Cidade tão cedo. Onde está a gente da cidade? Dormindo, acordando. Meu filho vai nascer, pobrezinho. Acho que o bruto acertou o pontapé, não sei bem, caí, não vi mais nada. Ou foi soco, só. Mas tá vivo e se mexendo. Às vezes é alarme falso. Não quero que chegue nunca no hospital. Meu filho é só meu. Por enquanto está aqui, guardadinho. Só meu. Não deixo sair.

Praia de Botafogo. O mar é cinza parado.

Praia do Flamengo. Verde a palmeira, o mar lá longe no aterro parece tão verde em cada lugar o mar é diferente isto dentro de mim esta dor quando vem é uma onda é como uma onda, eu vou sentindo ela subir vai me afogar, eu o menino o João o táxi, tudo afogado. Morto. Vem vindo. O mar vermelho. O mar pode ser vermelho. Vermelho e quente como sangue.

...Finalmente um jovem bombeiro lançou-se sobre o iconoclasta, tomando-lhe o martelo. Petrificada diante do horroroso atentado à cultura humana, e presa de repentino terror, a multidão fugiu diante do ato blasfematório. Algumas mulheres desmaiaram, outras soluçavam e gritavam.

...um túnel de dor, parecia, onde mulheres gritavam e gemiam nas enfermarias, quantas mulheres, pareciam sozinhas jogadas no mundo para dar à luz, que nem ela. As batas de um branco encardido. No branco, a dor. Num canto uma menina, quanto anos, treze? Parecia onze. Imóvel. Tinha morrido? Mas os olhos se abriam e fixavam o teto, e quando a dor vinha era como uma coisa concreta viva que a menina de olhos parados estivesse vendo, monstro que vinha se formando em si, dentro dela, enorme. Menina — onze anos? Deve ter sido estupro.

...seguindo no corredor, seguindo a sua própria dor, e a das outras, difícil andar, a enfermeira abriu uma sala, umas doze camas, tira a roupa, dores regulares, perguntava. Tira a roupa. Tira tudo. Veste essa camisola, espera, deita, espera, espera, espera.

Ninguém com ela. Sozinha.

Entrou um médico, mal-humorado.

— Mais uma. O movimento vai ser daqueles, hoje.

Ela não tinha culpa, queria dizer para o médico. Não tinha culpa de ter vindo naquele dia, desculpasse, não queria dar trabalho.

Levantaram o lençol, ela abriu as pernas, dócil. Fechou os olhos.

A porta, cada vez que abriam, trazia intervalado um grito longo e feio, pontuando o branco. A menina? — pensou. Animal. Porco sangrado. Vida. Suja. Feia.

— Cesariana. Quanto antes, melhor. Providencie.

Saíram. A porta que se abria. O grito, pontuação vermelha, no branco. Damiana ergueu-se no cotovelo, olhou o relógio: eram sete horas e quinze minutos. Da manhã.

A preciosíssima estátua foi encomendada a Michelangelo em 1498 pelo cardeal Jean Villiers de Lagrolaye, que desejava instalá-la na Igreja dos Franceses, em Roma.

Mar. Que vinha, enorme, se formando onda. Vagalhão agora crescendo...

(...longe, na Itália, na Basílica, um martelo).

...mar vermelho, nas suas cadeiras cinta apertando, uma dor enorme, às vezes acabava brusca, ficava muito tempo sem nada, tinham esquecido dela? Resvalava no branco. O tempo passava, tinham esquecido? Deviam saber mais do que ela, não tinha coragem de perguntar. Enfermeiras entravam, saíam, voltavam. A porta, o grito longe, vozes. Tinham esquecido dela sozinha, o João lá fora que estava fazendo, também não podia falar se falasse o João matava ela, culpava ela mais o irmão, puta, o sangue escorrendo quente na perna de onze anos, a menina que ia parir, fazia tanto tempo, tudo fazia tanto tempo...

O relógio do corredor marcava: três horas. Da tarde.

A enfermeira levantou o lençol, examinou, a outra sacudiu os ombros:

— Não sei, disse que era cesariana e foi embora.

Dentro da dor grande as outras menores, o corpo doído surrado, um corpo que ardia todo, parecia, um corpo que nos dezessete anos tinha vindo num sofrimento, numa dor só, parecia, barranco sujeira sangue pisado lama dezessete anos, quantos anos mais...

A veneranda imagem conta, pois, 474 anos. Para o trabalho da sua restauração os peritos trabalharão com as medidas exatas tiradas de uma cópia da estátua, feita há trinta anos. Ao encomendar a obra, o cardeal escolheu um tema que era praticamente desconhecido até então na arte religiosa. As únicas representações plásticas de uma mãe chorando o seu filho...

...nasceria mulato? Nasceria? Sete meses — apalpava a barriga, asa leve, ainda vivia, não precisava ser operada? ...O mundo todo era um menino chamado Cesário, ia chamar Cesário por causa da cesariana, sete meses também cria. Criado com muito mingau. E o seu leite ia ser forte...

...*de uma mãe chorando o seu filho morto datavam da antigüidade clássica, como as estátuas de Vênus e de Adonis, e de Mennon.*

...e sua mãe tinha tido leite forte para os filhos. Era o que tinha salvado eles, nem todos, alguns. Filho de pobre é assim, tem de ser de porção, senão não cria. Que nem gado. Filho de rico nasce dois, três, cria tudo...

(Martelo.

— no ponto preciso em que a energia se transforma em gesto: um grito. Olhou a velha beata se ajoelhando diante da estátua, ela tinha bigode, *lei é schiffosa* teve vontade de gritar, viu de relance o gesto do guia estendendo disfarçado a mão para a gorjeta do americano...

num gesto seco levantou a mão: armada.)

...De repente o grito chegou, e era mais forte do que tudo, ela fechada, no grito, na dor, na dor ineludível, ali, precisa, ela fechada em sua própria barriga, o quarto sem janelas, só portas, quatro portas, uma confluência de todos os caminhos do mundo, ela estripada mundialmente, universalmente. Damiana estripada, estuprada, mar vermelho explodindo dentro dela, a dor explodida, me acudam.

Chegaram as enfermeiras, agüenta é assim mesmo, faz caminho, alguém disse "respira" como quem atira uma toalha, respirar como?

(Mar.

Mar-te-lo

Mar-te-lo.

O braço. O nariz. Os olhos cegos. Agora. Es-ti-lha-ça-dos.)

A notícia correu célere pela Itália, como um rastilho de pólvora, suscitando incrível emoção. O Santo Padre correu à Basílica e dirigiu-se até o célebre grupo escultórico, diante do qual se ajoelhou, afogando lágrimas.

...estilhaçada em mil pedaços, a sua dor que era o mundo e quem era que assim gritava, ao longe, mas era ela, era ela gritando, não grita, agüenta, disseram, quem? O quê? Outra voz, "não vive", alguém tinha dito "não vive", quem? O quê? Quando? O grito, a sala desventrada, portas abertas todas ela puta aberta o irmão pegava o soco o grito o barraco faz frio faz calor faz sangue...

...*afogando lágrimas. Depois, já serenado, interessou-se pelo autor do delito: "É realmente louco ou simula loucura?"...*

...empurravam levando para onde não sabia mais, o grito, essa pessoa que gritava o tempo todo e que devia ser ela, aquela dor era impossível, não existia, e uma voz disse "não compreendo... não fizeram..." machado, enorme, martelo, martelando assim na barriga... "cesariana?"

Preocupou-se logo o Sumo Pontífice em saber se os danos eram irreparáveis. O especialista em restaurações do Vaticano, o eminente Professor Deoclécio Redig de Campos, que é brasileiro, disse que todos os cinqüenta fragmentos das partes danificadas serão recolhidos e catalogados e que...

...esquartejada, porco sangrado, animal, amarravam suas pernas, suas mãos, uma cruz, ela era uma cruz.

...a estátua será reparada: "Temos os fragmentos do braço e do nariz. Para o olho será muito mais difícil."

...respira, respira fundo, estreito túnel onde vou, onde vou morrer? Respira que a dor passa, a pessoa tinha deixado de gritar ou gritava mais longe, um pano no nariz, respira, tudo mais longe, o teto abaixando, respira, "acho que é tarde demais".

"De qualquer modo o grupo perdeu sua integridade original. Como reunir de novo os fragmentos miúdos de mármore, e inclusive a sua poeira?" — perguntou o perito mundial Giulio Carlo Argan.

...respira fundo, fórceps, não sei, criança prematura, posição difícil...

"La Pietà" foi a única obra que Michelangelo firmou, porque considerou que se aproximara da perfeição que sempre procurou, diz a lenda. A História, porém...

... uivo rouco retomado, tudo tem que acabar, não é possível...

...afirma que o artista só a assinou por ter sido a estátua atribuída a outro escultor.

— Agora. Faça força.

— Vamos, um pouco mais. Só isso. Agora.

Para fora. Cuspido. Parido — enfim. A dor parada, ela olhou. Dependurado pelos pés como um franguinho ensangüentado, um franguinho assassinado, o seu...

Pegou então de um cinzel e esculpiu seu nome...

...o seu menino, o médico sacudia, batia com força, cinzento e inerme o menino permanecia, não bata no meu menino, tão pequenino, não bata no meu menino, no meu menininho, no meu filhinho, não bata, não bata em mim, não me machuquem, não machuquem meu filhinho....

...seu nome bem visível no peito da Virgem:
MICHELANGELO BUONARROTI FECIT.

E então trouxeram. Eles reunidos, o médico, as enfermeiras, trouxeram: o seu menino. O seu menino morto. Um pedacinho de carne a mais, com manchas de sangue pisado no rosto. Trouxeram o menino. A enfermeira, ao colocá-lo nos seus braços, virou a cabeça para o lado.

O grupo está talhado num só bloco de mármore de Carrara e mede 1,74 m de altura por 1,94 m de largura.

Nos braços rígidos, sem embalo, o filho, ela, ambos, para sempre fixos, duros — pedra. Para sempre.

E o escultor Giacomo Manzu, autor da Porta dos Mortos de São Pedro, inaugurada em 1964 por Sua Santidade o Papa Paulo VI, ao saber do nefando crime, prorrompeu em soluços: "É o atentado mais grave contra a civilização e a cultura que se cometeu até agora. O mundo exige um castigo exemplar para o culpado."

CHICO LOPES

Debaixo de praga

Publicado no jornal virtual *Verbo 21*, nº 59, fevereiro de 2004.

Quarta-feira — ele guardara bem, com a atenção mais ávida. Ela lhe dissera que era o melhor dia — o homem saía para umas palestras bem demoradas. Dera a informação como não sabendo que uso ele faria dela — nada com isso. Mas deixara claro que queria o toca-CD, aquele que, prateado, ficava ao lado da tevê 29 polegadas. Vinha comprando disquinhos de seus cantores de Jesus, das duplas evangélicas, única concessão ao Pecado um de Julio Iglesias, precisava ter onde ouvi-los. Mausoléu merecia a informação — era como sangue seu, sobrinho do Geraldo Troló, que ela amara. Ele fizera intenção honesta de procurar trazer o aparelho — gostava de trabalhar sozinho, mas, talvez precisasse levar alguém; como carregar tudo que fosse tentador? Gostava de Imaculada, faria quanto pudesse, e ela lhe pusera no pescoço corrente de barbante colorido com uma grande cruz de madeira, que balançava sobre a estampa do Iron Maiden na camiseta. Benzera-o.

Ficava com Macu, assim metida a tia, chamando-o pelo seu nome verdadeiro, Kléber (e alongando o "r" final, porque achava mais fino), por temporadas incertas, aquilo não era casa, aquilo não era lugar. Nem tinha nome — através de uma pinguela trêmula, da qual os moradores viviam substituindo as tábuas e que um vereador prometera transformar em ponte, emendava com uma rua de bairro residencial, e os desse pedaço decente faziam por nem olhar para lá. Circulara abaixo-assinado para tapar a vista dos barracos cobertos de plástico preto, um prefeito pensara em plantar eucaliptos para escondê-los, detestava que a oposição estampasse aquilo em jornais, dava pesadelos: tinha certeza de que seus inimigos lotavam kombis com mendigos e pretos de outras cidades para trazê-los e despejá-los ali no conjunto, razão de ele ter crescido tanto.

A proximidade com o bairro "de família" fazia este ter portões, portas e janelas trancados ainda antes da noitinha. Ele imaginava delícias lá por trás dos tijolos, madeirame, garagens, silêncios. Divertira-se, por certo tempo, caçando gatos de raça — siameses, os de melhor sabor — e pedindo para que um padeiro amigo assasse. Pela madrugada, iam os dois comer os churrascos num caixote, com cerveja que o outro pegava no bar da frente.

Seu tio fora o único homem de Macu em toda a sua vida de faxineira — e a religião fora o que lhe restara quando ele morrera. Bebia demais, e, dado a caçar rãs na represa lá embaixo, numa noite de pingaiada, por engano, trouxera sapos para a sua panela — o que o fizera agonizar baboso, de enojar. Quando precisava passar mais tempo escondido em seu barraco, ele se assustava com a mulher: dada a ficar no espelho passando inutilmente talco no rosto, para clarear: achava-se preta demais, nem um meio-termo de mulata a vida lhe dera. Vestia-se com bata branca, pegava vizinhos e visitas que passassem na viela, fazia-os entrar, benzia-os, untava-os de óleo de cozinha, alertava-os sobre pecados e castigos, e, quando começava com essas coisas, com as convulsões — certa de que precisava extrair seu homem dos infernos para onde os sapos tinham-no mandado — ele escapava leve.

Passos felpudos, quando precisava. Sabia não ser ouvido, não ser visto, não existir — quando era preciso dormir em obra começando a ser erguida, em varanda de casa silenciosa, em canto de terreno baldio, enrijecendo o corpo nessas coisas, e, bem, eram só 18 anos. Debaixo da noite, agora, e protegido pela cruz. O esqueleto reluzia em sua camiseta preta. Os olhos muito, muito abertos — precisava entrar em todas as luzes, todas as ruas, toda a multiplicidade que se abria ao cruzar a pinguela e sentir começo de asfalto sob seus tênis. Não ia pensar coisas ruins.

Porque, ao passar por uma daquelas casas que conhecia, uma mulher o esperava ao portão. Era já espantoso que não o evitasse, que não corresse para dentro — plantada em sua calçada, mãos na cintura, ela o parou. "Você é o Mausoléu, né? ali do muquifo..." "Sim, senhora..." "Foi você que comeu meu gato..." Ele a examinara melhor, sem recuar. "O Merlin, filho da puta! Era lindo, branco, branco, com manchas bem chocolate... Acabou na tua barriga, né, preto sujo? Não foi?" "Não sabia o nome do bicho…" — rira. "Pois vou te rogar uma praga: você vai morrer por aí, por essa boca imunda. Não vai escapar!" Tinha que apavorar-se um pouco: nunca vira ódio tão consumado, e ela mal se importara com a certeza de ele carregar uma faca ali, de ser capaz de tratá-la com menos consideração que o gato. Cuspira, dando de ombros. Mas a cara da mulher — uma dona Palmira — não lhe saía das costas.

O verdadeiro mundo era outro, era esse — o de luzes, ruas limpas, algumas até com hidrantes — coisas que lhe pareciam ter uma finalidade misteriosa — e vitrines, zunidos, assovios, colisões, vozes elétricas de games, galerias, ruas encantadas, tantas, tantos esconsos inesperados, tantos pontos de onde podiam emergir caras novas, e queria que alguém lhe falasse, alguém lhe parasse para perguntar quem era. Diria "Kléberrr" sim — porque, por vezes, tinha raiva de que o chamassem de Mausoléu. O apelido lhe viera do gosto por explorar cemitério, do fato de ter encontrado, numa tumba, uma calcinha de que não se separou por uns tempos, e em que a mãe — com quem estivera até os doze anos, pulando cinco bairros pobres — pusera fogo. Ela achava que ele se excedia, tirava-o da cama, onde se entretinha com a mão — enojada, gritava, chorava: por que a angustiava tanto vê-lo fazendo aquilo? Mais cômodo no cemitério: estendido numa carneira, sem medo, ficava nu, divertindo-se. Seguiram-no, descobriram-no assim, quando a coisa quase lhe vinha, quando se esforçava para que espirrasse bem alto. Não esqueceria o frio da interrupção, as gargalhadas — e o batismo — nunca mais. Mais tarde, o fardo lhe assentara bem: sugeria ele ter uns mortos em sua história, dava reputação — não matara ninguém, mas nunca ia confessar tamanha fraqueza.

Nas muitas caras, nenhuma que lhe desse atenção. Quando alguém reparava nele, o passo se apressava: a cor, o brinco, a roupa, a idade, essa postura — quase uma sentença física de sua tribo: empinada, imperativa, disposta a ser insolente com qualquer outro valor que não o seu — eram sinais de uma separação que, maciça, vasta, ele seria mínimo para tentar vencer. Gostaria de poder amolecer, de não pagar tão caro por infundir temor. Havia, no incerto das ruas, das encomendas aqui e ali, fundos de bar, o tipo que o mandava subir para certo bairro e deixar o pacote lá, o meganha que vinha pedir alguma coisa para fazer que não via, fiapos de amizade, um grupo, outro e outro, nenhum. Tinha a impressão de que rodopiava zonzo entre rostos, interesses, mandos, necessidades, códigos, que pagava alto para estar nas ruas, nas zonas de luz e riqueza, longe de Macu, dos barracos: era uma disponibilidade exaltada e infeliz, mas não tinha outro jeito. Meio de rua, lata amassada, brilhante — coisa muito viva, sendo jogada para lá e para cá, intensa enquanto o prazo de validade durasse.

Parava para entrar num corredor muito estreito, acima de cuja entrada reinava o escudo de um time de futebol — nos fundos, morava o Blue. Nada feito, disse, da janela debaixo da qual encostara uns três botijões de gás, fumando um bem longo. Ocupado com fazer o parque, um cliente especial na quarta.

Amuou, insistiu que haveria carga, da melhor. Nada. Mal da vida que o Blue levava era que podia ser, de repente, menos profissional do que ele a queria — macho como ninguém no começo, já não andava mais dengoso, bem vestido demais, esquisitinho? Fizera um pouco do parque, por necessidade, em dupla com ele no mictório, plantando-se, disponíveis, para mijar indefinidamente, esperar. Jovens, enxutos, retintos, os sujeitos enlouqueciam: iam direto aos deles, o de Blue uma peça de guerra, o dele, normal — desesperados, ansiosos, tremendo daquele jeito, pagando para ser empalados; alguns intestinos reagiam, horror limpar aquilo. Não gostava dos velhos — que eram maioria, para ele — das mordidinhas de dentadura postiça, do ruído que faziam para engolir. Passada a alucinação, quando chegavam a dizer "eu te amo", era negociar, e aí se mostravam unhas-de-fome. Distribuíra umas pancadas, mas nem batendo conseguira tirar mais que trinta reais. Blue ia virar um deles, a uma certa altura ia passar a dar, estava bem claro. Não. Não. Ia ter que agir sozinho. O outro fechou a janela.

Um gato pequeno, com seus pulinhos ágeis de primeiros meses de vida, andava por sobre um botijão. Levou a mão à boca, esfregou-a com força, muita força: apagar a lembrança de dona Palmira, apagar, apagar.

Era essa a casa, que ele examinava sem pressa, por trás de uma árvore da calçada oposta. Nada que a diferisse de tantas outras de um bairro onde mal havia trânsito — luxo de quintais com árvores imensas, lá pelos fundos um som persistente de bolinhas de pingue-pongue indo e vindo, um riso, uma voz de criança. Saiu o casal, a que ele tinha que prestar atenção — muito claros, a mulher ruiva, o homem alto, de olhos verdíssimos e cabelo prata, bem vestidos, reluzentes, frescos e ideais como essas criaturas que se sentavam nas salas daquelas casas das revistas que Macu levava para ler na cama. Ela trabalhara ali por uns meses, gostara do seu "Marcorélio", pagava pontual e nunca achava nada ruim, mesmo que ela levasse umas coisinhas — patrão para a vida toda. Solteirão, com fama no que fazia, sempre de namorada nova.

Quando entraram no carro e desapareceram, rindo, ele se aproximou mais do portão, olhou para o jardim, deteve-se na janela ampla, com seus pequenos retângulos de vidro decorado, leu o nome e a profissão dele em letras amarelas salientes sobre placa cinza; viu garagem, telhas, plantas, bancos de varanda, e notou que era também olhado dali: os olhos muito verdes, precisos e fixos, de um gato de bom tamanho. Era uma escultura, com pretensão a feitio de estilização oriental, ao lado de um vaso. Soletrou "Merlin" por dentro, sem querer. Achou que a boca podia estar com umas feridas.

Tinha que voltar para o conjunto, conversar, acalmar-se. Tomou ônibus, no qual os sinais para que se precavesse iam aumentando: a cara de um sujeito que tivera um bar na altura do Ronca, perto do barraco de Macu, e a quem ficara devendo cervejas, não o deixou um segundo no trajeto; diabo: andavam perdendo medo dele, o que o estava enfraquecendo? Sustentou aquela raiva, os olhares recíprocos se cuspiam, mordiam, amassavam em silêncio; caminho de quartel, um PM o media, a roupa cáqui muito justa, folgadão por ter passagem gratuita, todo dono-de-tudo em cassetete, três-oitão, algema, cinta, braguilha inchada; uma mulher que rezava, com um olho de vidro, verrugas bem grandes, roxas, pelosas, no lado direito da cara, e que se interessara por ele, enquanto repassava, murmurando, as contas do rosário. A persistência do fedor de um peido, a colheita excessiva de passageiros e um motorista que endurecia com um tipo impossível, gritão, a reclamar da linha.

Desviou, pensativo, do quarteirão de dona Palmira. Barulho na entrada do conjunto, gente espalhando-se pela rua, dois corpos que tinham sido encontrados, um sem cabeça, mulheres chorando. No caminho, falavam-lhe disso, pediam-lhe notícias de gente que podia ter visto na cidade — de alguns dos que, parecidos com ele, tinham preferido ficar do lado das luzes, das infinitas ruas de oportunidade e extravio. Bom, bom, que é que vou saber?, irritava-se, tinha que rir, tinha que ouvir, tinha que contar, sumia: ali, por fim, o canto de Macu.

Remédio para o nervosismo? — ela o media. Tinha imagens de Jesus por todos os cantos — inclusive uma em que ele olhava de modo suspeito para Maria, e, ah, essa profusão de olhos verdíssimos, cabelos escorridos, barbas lindas, meiguice narcótica — misturando-se com os pedaços de madeira, papelão e cortes de lata de óleo de soja que reforçavam as paredes. "Ele, Ele, Ele...", dizia, apontava, entre risadas e o que parecia choro. Mexia arroz frio, de dar soluços, e lhe fez um prato, com pedaços de chuchu refogado: era pegar dali do canto, a rama se espelhando pela lasca de *eternit*. Não queria saber tanto assim do que o preocupava, estava mais para falar de si mesma — fora, pela manhã, dar uma volta na beira da represa, matara dois sapos, dos gordos, meio avermelhados, desses que cantam bem grosso — revira o Geraldo, tinha certeza, outra vez com aquela baba, ali na beira d'água, pedindo descanso para a alma. Resquícios do que já fora e já pilhara pelo chão e pelos poucos móveis — o montinho de CDs, as revistas, sorriso do Gianecchini, porta-qualquer coisa de 1,99, um multiprocessador, um liquidificador, frutas de plástico. Retirou-lhe a corrente do pescoço, benzeu-a novamente, com umas folhas de guiné, "Kléberrr, Kléberrr, você tinha era que acreditar Nele, Nele..." Aconselhou-o a tirar a camiseta do Iron Maiden, era negativa, e lhe forneceu camisa branca, de mangas compridas, grande para ele — figurino do Geraldo, que ela mantivera num bauzinho. Vestiu-a. Cheirava a jasmim.

Questão de jeito, nada de atrapalhar-se. Não ousaria tirar a camisa, embora ficasse visível demais por ali, pela rua de quase nenhum movimento, e se esgueirava procurando escuro, fugindo aos postes de lâmpadas de mercúrio. Podia ouvir de tudo nas casas, até mesmo o que supunha gemido de casais em ação. Imaginava cetins, portas que facilmente se abriam, confortos que respondessem a um pensamento, estofados, paredes muito sólidas e brancas, banheiras onde podia se regenerar, limpar vez por todas — uma delas não podia ser de cura certa, ter o branquear que a tia procurava no talco? Entrou — a escultura que ficasse lá na frente, onde tinha procurado nem vê-la de esguelha. Noite sua, mundo seu, casa enorme, de escuro substancioso, todo promessas.

Tal como se sentia no cemitério — deitou-se num vasto sofá marrom e palha, abriu a camisa, tirou o cinto da calça, os sapatos, esticou os pés. O ambiente o deixara tesudo — podia entreter-se um pouco. Bom espirrar ali, no sofá do homem. Depois, pensou no que podia levar — escarafunchar lá pelos fundos, passando aquele corredor. As coisas, as coisas que podia encontrar! Olhou para as paredes, todos esses diplomas sob vidro, quadros indefinidos, só cor, só uma, duas linhas, e um lustre que parecia composto de inúmeras tetas de cristal — deu um pulo para tocar numa das pontas: era de esperar leite. O toca-CD de Macu, a televisão. Ligou-a, deitou-se. Um noticiário falava dos dois mortos, da cabeça que alguns moradores de lá saíram, alegres, desesperados, procurando pelo conjunto. Com espanto, pôde até ver, no meio dos entrevistados, a cara da sua protetora. Depois, a declaração de um vereador, que a abraçava.

Então, tudo se apagou, e todos os pequenos ruídos elétricos da casa se extinguiram. "Falta de força, puta merda", protestou, levantando-se, ajeitando-se no breu, jogando os braços para reconhecer as coisas, andando penso, o carpete alto nos pés descalços. Onde uma cozinha, um armário para encontrar fósforo, vela?

Quando atingiu o que pareceu ser uma porta lá na frente, quando a abriu, a luz tinha retornado. E bem ali, pronto para ser olhado, com uma mulher logo atrás, o homem, seus olhos verdes, seu cabelo que parecia pintado, seu corpaço, segurando, trêmulo, um revólver. "Escuta...", tentou dizer, pasmo, mas alguma coisa lhe acontecera — não se movia. O homem avançou alguns passos, ritmadamente seguido pela mulher, e ele não conseguia recuar. Era erguer os braços? Não: pensou na boca, na boca, e, fechando os olhos, protegeu-a, tapando-a com as duas mãos, enfiando-se todinho nelas, isolando meio rosto.

Chance para que o tiro pleno, próximo, fosse bem na testa.

FERNANDO BONASSI

Trabalhadores do Brasil

Da revista *PS:SP*, número único,
publicada pela Ateliê Editorial em 2003.

O Sol acende e se descobre por trás das casas de bloco. Vem varrendo as telhas, as ruas, as valetas e as cercas. Começa a bateção de portões e despertadores. Cacos de vidro brilham no asfalto e aparecem crocantes por baixo das sandálias de dedo. Os gatos, que não são burros, tratam de se esconder. Quem sai de casa tem de fechar os olhos. E tropeça.

Chega o primeiro, pára. Disfarça. Medo e susto. Repara melhor, como que procurando pelo dono daquilo — se é que aquilo tem dono. Baixa a cabeça. Pode ser que reze. Pode ser que xingue. Logo aparece um casal de braço dado. Sem filhos, sem vergonha. Sem mais nem menos, uma viatura. Marcha lenta, motor no osso. De sirene desligada. Sem luz piscando. Soltando calor. Também pára. Pela obrigação. Dali saltam dois PMs batendo poeira dos distintivos.

Tá lá o corpo estendido no chão... não tem mais que 17, não tem menos que 12. Os seres humanos crescem rápido nessa idade. Braço do relógio prum lado. Perna pro outro. Um bom punhado de moeda de cinco centavos jogado pela barriga. Coisa de três, cinco reais. Um olho aberto... morreu piscando. E na corrida. Dois buracos de bala no crânio. Mais exatamente na parte de trás, onde os filetinhos de sangue desceram escrevendo e formaram uma poça junto da sarjeta. Coisa pegajosa de ver.

O PX da viatura mastigando as ocorrências.

As cinco pessoas em torno, incluindo os dois policiais militares, ainda não conseguiram dizer nada. De qualquer maneira, ninguém parece querer explicação. O que está feito está feito e segue-se a praxe.

Duas pombas sentam num poste. Bem em cima da situação. Se bicam. Um dos PMs fica tirando meleca do nariz e assoprando. Tosse. O outro coça as costas com a ponta do revólver, se estica e geme. Mais de cansaço disso tudo. Bufa. Pergunta pra quem quiser responder:

— Alguém aí viu como é que foi?

Aliás, é mais por perguntar que se pergunta, que ninguém é trouxa de responder.

— E o nome? Alguém sabe?

Balançar a cabeça, eles balançam, mas também não resolve.

— Mora por aqui?

Uma das pessoas, daquelas que não são da polícia, a primeira, pega uma folha de jornal que passa voando e ameaça cobrir o cadáver. O PM que sopra meleca não deixa.

— Peraí. A técnica vem pra fotografia.

O PM fica com o jornal. Pra mais tarde. Por via das dúvidas. São os classificados. De imóveis. Foto colorida de apartamento que ainda não existe e se diz no Morumbi, mas quem é da região sabe que é mais pra Presidente Altino mesmo.

Nessa hora, um senhor de mochila nas costas desce o escadão que desemboca na rua. Toma um choque. Faz que vai voltar, mas não tem mais pra onde. Vem de fininho. Demora pra se juntar aos outros. Perto, se encurva. Quase de quatro.

Acontece um silêncio desgraçado. Só um instante.

Os três que não são da polícia imediatamente se afastam como quem vai gritar escondido.

Não se falam. Não tornam a voltar a cabeça. Não se vê que desaparecem na esquina.

O senhor de mochila nas costas se endireita, mas começa a respirar miúdo, fazendo um barulho que até parece ronco ou ataque de asma. Tosse. Suspira. Dá um passo. Depois encosta a ponta do sapato na canela do morto. Cutuca uma vez.

De leve. Pra ver se acorda. O PM que se coçava estranha mas não diz nada. O PM da meleca se aproxima do senhor de mochila.

— Sabe quem é?

O senhor da mochila joga o corpo pra um pé e pra outro, dá pra ouvir uma colher bater na marmita cheia.

— Conhecia o elemento?

O senhor da mochila se balança dizendo "não" mas, em seguida, começa a falar. É com o cadáver espalhado:

— Eu disse pra você, não disse?

O senhor aponta pros lados, na direção de uma mercearia e de um posto de gasolina que estão abrindo naquele momento. O dono da mercearia fica mexendo na porta sanfonada e arrumando umas mercadorias que já estavam arrumadas, fingindo que não é com ele.

— Cadê teus amigos agora, hein? Cadê aquela gente que te prometia outra vida?

O PM que se coçava olha praquele que tirava meleca do nariz e que agora passa o dedo sujo por dentro do bolso da farda. Os dois erguem os ombros ao mesmo tempo, se perguntando que diabo está acontecendo. Não fazem idéia do que se passa. Nem se perguntam. Ficaram acostumados com esquisitices. Coisa do serviço.

Enquanto isso, o senhor da mochila continuou falando com aquele da sarjeta:

— Ainda bem que a sua mãe não desceu comigo hoje. Morria de vergonha... e de tristeza.

O senhor torna a se abaixar. A mochila gira pelo seu pescoço, afogando. Ele se arruma e passa a mão no rosto do menino, tirando um pedaço de coisa que tinha grudado.

— Você dá muito trabalho. Mais do que a gente pode agüentar. Puxa vida!

O PM da meleca, agora com o dedo limpo, cutuca o senhor pela mochila:

— Teu filho?

O senhor se balança dizendo "sim". Parece que vai cuspir, mas não chega a isso.

— A gente perguntou se conhecia o elemento, oras!

O PM que se coçava faz cara feia:

— Tá de brincadeira com a gente?

As pombas se mandam. Pela primeira vez o senhor da mochila nas costas olha pro céu e dirige palavra ao policial. Diz que "não, não era disso" e segue pro trabalho.

FERRÉZ

Coração de mãe

Conto publicado na revista
Caros Amigos, junho de 1998.

Acordei naquele dia decidida, dois filhos e uma situação lastimável? Não! A situação exige ação.

A decisão foi tomada, a proposta era tentadora, não agüentava mais ver eles saírem à noite para vender rosas, temia mais pela minha menina, era delicada e coisa mais linda eu nunca tinha visto. Exagero? Amor de mãe, né! Na verdade, ela era simplesmente um encanto, um leve olhar de anjo, cabelos encaracolados, andar calmo e feminino, coisa que não se vê hoje em dia mais nas menininhas fãs dos Travessos, perda da inocência provocada pela *Malhação* e outros programas das senhoras emissoras, usurpadoras de sonhos e encantos infantis.

Mas minha pequena princesa na noite era nitroglicerina.

O menino, apesar de ser mais novo, era mais esperto, corria a qualquer sinal de perigo, um homem numa noite o convidou a ir pra casa dele, disse ser advogado e que tinha muitos brinquedos pra ele no seu apartamento.

Meu pequeno disse que só tinha que pegar um dinheiro num bar em frente, referente a umas rosas vendidas, o homem abraçou a idéia e deve ter ficado esperando um bom tempo, porque meu menino saiu pelos fundos do bar e fugiu.

Trabalho à noite é assim mesmo, muito arriscado, a maldade sempre está presente nas baladas, a madrugada é tipo uma navalha, eu sei, já saí muito à noite, num tô falando de camarote, várias aventuras com minhas amigas, muitos homens da classe A, nós só devemos servir e respeitar.

Muitas das minhas amigas ficaram no meio do caminho, nunca saíram das ruas, eu não, sou sobrevivência. Me esquivei dessa vida, meu corpo é meu patrimônio, não vou beijar meu filho com a mesma boca que encosta em qualquer homem.

Fui a muitos bailes, foi num desses que conheci o César, eu devia ter me tocado que ele não era um bom sujeito quando me pediu seis meses depois pra tirar nosso filho, durante a minha primeira gravidez sofri muito, as outras foram sossegadas, onde come um comem dois.

Ele nunca gostou de preservativo e, sinceramente, ninguém tinha condições de ficar comprando aqueles anticoncepcionais, nem se pensava nisso, na verdade. Há muito ele se foi, tudo por causa de uma briga com o Gersão, um cara que dominava a área por aqui, gostava de dar uns tirinhos, ou seja, era chegado numa farinha, e entrou em desentendimento com o Gersão por causa de uma dívida nessas noitadas.

Agora é a hora da ação, dividir um pãozinho em quatro partes não dá mais, condição lastimável é foda, no pique de fazê alguma coisa, a vida tá que tá apertada. Julgamento? Isso sempre vai existir, uns papinhos assim: "Ela podia ter pego uns trabalhinhos, ela podia catar latinha, hoje latinha tá dando dinheiro."

Mas não, num vem com essas, todo mundo quer as coisas, eu quero também, eu quero panelas cheias, eu quero ursinhos e carrinhos de controle remoto pra eles, eu quero... sei lá se é isso que quero, tô cansada, sabe, ontem eu quase num comi nada, o dinheiro das rosas num deu pra nada, só um saco de feijão.

Desque aluguei na favela esse barracão, num sobra dinheiro pra nada, sou revoltada, sim, a elite faz jus, escuto GOG toda noite, um cantor de rap de Brasília que entende minha situação, eu quero ir na honestidade, sabe, mas tá ficando impossível, só num nota quem num qué. Até no rap poucos valorizam nóis, as mulheres.

Meu vizinho quebrou o barraco dele inteiro, tentou se pôr fogo, todo mundo jogando água nele, coitado.

Eu tenho nojo e sei da maldita praga capitalista, que ilude os pobres todo dia no horário das nove, eu não assisto esse lixo, não compactuo com isso, tenho olhos só pros meus filhos.

Mas a decisão já tá tomada.

O vizinho continua trazendo parente, uma prima, um tio, outro primo, o verde na Bahia secou, luz de lamparina, ninguém agüenta mais sofrimento, e São Paulo continua iludindo, com uma antiga máscara de felicidade.

Mesmo com uma mesa vazia a gente ora, eu sei que Deus tá meio que esquecendo de nóis, mas num tenho o que fazê, que ele me perdoe, eu sei que tá difícil, o outro lado só ganhando, mais e mais e mais, e nóis? Bom, de fome, de sede, a gente quase desmaia, pra que querer mais, né, dizem que a gente devia olhar o trigo, a Bíblia tem um monte de coisa poética, mas não me dá a salvação, eu procurei por muito tempo, juro que procurei.

Pelo menos de desbarrancar o morro parou, parou as chuvas, parou o risco de deslizamento.

Eu sonhei ontem que um senhor chegava em mim, eu era bem pequenininha ainda, e ele dizia que a vida era um dança, que a gente nascia e morria sozinha, mas no meio-tempo tinha que dançar, e o difícil na vida era achar um bom par, o sonho acabava com ele dançando comigo, eu de vestidinho, lembro do detalhe das meias brancas, ele era tão doce.

Mas a decisão foi tomada, vou dançar com meus filhos hoje.

"Me perdoem se fui fraca, mas vocês venceram, meus filhos nunca mais vão chorar, isso eu sei, vou com eles, vou dançar com eles, quem ler este bilhete, por favor, entregar pro seu Osvaldo, o dono aí do açougue, que ele conhece minha irmã, diz pra ele dar o dinheiro da venda das coisas que tão no barraco pra ela, a gente num vai mais precisar, a gente só vai dançar agora."

FERRÉZ

Eu sou o...

Poema publicado na revista
Caros Amigos, fevereiro de 2000.

Eu sou aquele que não deve nada além de ódio pros norte-americanos.
Eu sou aquela que limpou sua casa e não recebeu o salário em dia.
Eu sou aquela que agradeceu por você não bater mais no marido preso.
Eu sou aquele que entrega sua correspondência, você pega e nem olha nos meus olhos.
Eu sou aquela empregada que limpa o vidro pela terceira vez e ainda não está bom.
Eu sou aquele proletário que você paga quando acha que deve.
Eu sou aquele culpado por sobreviver ao massacre.
Eu sou aquele desinformado, abandonado.
Eu sou aquele descendente de algum rei angolano.
Eu sou aquele julgado, condenado e amargurado.
Eu sou aquele que tem antecedentes criminais no sangue.
Eu sou a cabeça encostada no vidro do ônibus, cansada e triste.
Eu sou o imigrante humilhado.
Eu sou um homem extraordinário, mas tentado por algo melhor que salário.
Eu sou aquele que queria a revolução.
Eu sou aquele que acredita em algo, depois da morte.
Eu sou aquele que chorou no enterro de mais um amigo.
Eu sou aquela que voltou sozinha, viúva e amargurada do Hospital das Clínicas.
Eu sou aquela que não dorme pelo filho.
Eu sou aquele que não dorme pela mãe.

Eu sou aquele que não vive, sobrevive.
Eu sou alguém em algum lugar, querendo algo.
Eu sou aquele que não tem e quer ter, mas sei que não terei.
Eu sou aquele que proporciona o terror.
Eu sou a voz mãe.
Eu sou o ouvido meu filho.
Eu sou todos.
Eu sou mais um sem direitos, só deveres.
Eu sou aquele que segura o fuzil.
Eu sou aquele que mata o menino que segura o fuzil.
Eu sou aquele que paga a droga e mantém a guerra.
Eu sou aquele que prega a guerra sem fim.
Eu sou aquele que canta a guerra sem fim.
Eu sou aquela que carrega baldes com água, e nota o sol, mas nem lembra mais da chuva.
Eu sou alguém no canto da casa, brincando com uma panela vazia.
Eu sou alguém no hospital enrolando a língua.
Eu sou mais um número na estatística.
Eu sou aquele que não compra o carro em promoção na televisão.
Eu sou aquele que divide um quarto com mais quatro.
Eu sou aquele que tem uma 12 de cano serrado.
Eu sou aquele que vai rezar mais uma missa de sétimo dia.
Eu sou aquele que continua de barriga vazia.
Eu sou aquela que usa farinha e bicarbonato.
Eu sou aquele que nunca voltou com o malote.
Eu sou aquela que reza pra não ter mais uma rebelião.
Eu sou aquela que sonha com uma casa com árvores e talvez uma piscina.
Eu sou aquele que faz o sangue espirrar no rosto da milionária.
Eu sou aquele que bota fogo no carro importado por ódio.
Eu sou aquele que só olha e sonha.
Eu sou aquele que mata o estuprador.
Eu sou aquele que você viu no *Cidade Alerta*.
Eu sou aquela que realiza suas preguiças no escritório.
Eu sou aquela que dá alimento pro filho e fica sem.
Eu sou alguém que um dia teve um sonho melhor.

Eu sou alguém que um dia teve um sonho.
Eu sou alguém que um dia queria ter um sonho.
Eu sou alguém que já acreditou na justiça.
Eu sou aquele que não quer a paz.
Eu sou aquele que não quer continuar na fome com a paz.
Eu sou aquele que a vida vale menos que um real.
Eu sou aquele que fumou seu relógio.
Eu sou aquele que descarrega na cabeça do irmão de favela sem dó.
Eu sou aquele que queria passar por uma formatura.
Eu sou aquele com roupa de motoboy estirado na avenida.
Eu sou aquele que faz a leitura da sua água e não ganha nem um café.
Eu sou aquele que agora tem um coração de gelo.
Eu sou aquele que ri do alarme da mansão.
Eu sou aquele que vigia a mansão.
Eu sou aquele que atua na hora do crime.
Eu sou aquele bom aluno que tá trocando tiro com a ROTA.
Eu sou aquele que foi o primeiro da classe, mas agora é último em esperança.
Eu sou aquela que pensou que o Brasil fosse boa coisa.
Eu sou aquele que cansou de esperar pelo Papai Noel.
Eu sou aquele que passa o dia inteiro jogando baralho sem perspectivas.
Eu sou aquela que espera o meu amor voltar do bar.
Eu sou a resistência em cada ponto deste país.
Eu sou alguém que um dia vai atirar na pessoa certa.
Eu sou alguém que jogou aquele ovo.
Eu sou alguém que não jogaria só ovos.
Eu sou aquele que vai pro show prestigiar o artista metido e insensível.
Eu sou aquele que reclama da televisão mas prestigia o mesmo canal todo domingo.
Eu sou aquele que algum dia vai acordar e ficar raivoso.
Eu sou aquele que algum dia vai dormir e ficar calmo.
Eu sou aquele que não agüenta mais essa porra toda.
Eu sou aquele que um dia vai paralisar esse país.
Eu sou aquele que sozinho não vale nada.
Eu sou aquele que sozinho já sou o perigo.

Eu sou aquele que ensina seu filho e não ganha bem, não sabendo se limpa as mãos do pó do giz ou do sangue da exclusão social.
Eu sou aquele que passou por ti na calçada, que você olhou com pena, mas logo pensou em teus problemas que são maiores que minha fome.
Eu sou o povo.

FERRÉZ

Hoje tá fazendo um sol

Conto publicado na revista
Caros Amigos, setembro de 2001.

Marquinhos foi baleado aquela noite, na pizzaria.
Hoje tá fazendo um sol de rachar, e se pá era pra ele ter acordado cedinho, ter pegado seus algodões doces e já era pra tar bem longe tentando vendê-los.
Seu pai os fabrica até hoje, na mesma casa, no mesmo quartinho, lembro que, quando éramos crianças, afinávamos vareta juntos, suas irmãs também, logo de madrugada. Ele tinha mó vergonha de eu entrar na sua casa, toda vez que eu entrava era à força, ia abrindo o portão e gritando: "Cadê meu café?"
Deu uns anos, e ele começou a tocar violão, ia vender algodão e jogava todo o dinheiro em fliperamas pelo caminho, seu pai ficava doido com ele, vivia pedindo pra eu interferir, mas sabe como é que é, moleque sem resposta.
A gente começou a estudar junto, estudávamos na 3ª série do 1º grau, colégio Euclides da Cunha, todo dia seu pai ia ver se ele estava indo à aula, o apelido dele na sala era turista, faltava à beça e punha a culpa no trabalho.
O que era mais legal era que sua família inteira é evangélica, e ele era proibido de ver televisão, por isso você podia vê-lo na casa de todo mundo na favela, ia passando de casa em casa vendo a programação, adorava o Chaves, ficava vidrado na telinha.
Sabe, mano, o Marquinhos tinha uma qualidade muito boa, ele era extremamente humilde, daqueles caras de dividirem o que tinha na mão, podia ser um pedaço de pão seco, que ele passava na nossa banca e dividia.
Teve uns tempos que ele começou a tocar violão, comprou um velhinho, todo remendado, que hoje tá comigo, ele gostava de cantar Legião,

aquela música do Eduardo e Mônica e vivia tocando "Faroeste caboclo", cantava ela todinha, sem errar uma parte, na frente da minha casa foram muitas as vezes que ele tocou "Um homem na estrada", do Brown.

O Marquinhos era o último amigo da infância que eu tinha aqui no Capão, e ainda me chamava pelo apelido de criança, ele tava compondo bastante, e tinha o sonho de mandar as músicas pro Zezé Di Camargo, vivia pedindo o telefone pra mim, e eu vivia dizendo que um dia eu ia apresentar ele pro Zezé, embora soubesse que era algo muito distante daqui.

De vez em quando, ele passava pela minha casa e gritava: "E aí, Nal, tá trabalhando?"

Eu parava de digitar e ia pra beira da janela, conversava com ele um pouco e perguntava se queria entrar, ele dizia que não ia me atrapalhar e que tava pra sair com uma mina nova que tinha arrumado.

O moleque era mó sofredor, e virou homem sofrendo também, o acesso ao trabalho ficava cada vez mais difícil e ele tava tendo que viajar pra trabalhar fora, ia pro Rio de Janeiro, trabalhava um mês seguido de ajudante de instalação, eles saíam daqui nuns trinta caras, tudo pra montar loja em outros lugares, depois de um mês eles voltavam.

Naqueles dias, o Marquinhos tava no Rio, e tirou dois dias de folga, seu patrão disse que, como ele não conhecia o Rio, era melhor voltar pro Capão, ele aceitou e veio gastar um pouco de dinheiro que tinha ganhado, num domingo ele reuniu a família e foi pra pizzaria aqui do lado, eu nem o vi chegar do Rio, tava doido pra dizer que meu livro tava quase terminando, afinal ele era personagem também.

Sabe, ele foi baleado aquela noite na pizzaria, na frente do sobrinho, das irmãs, da namorada e dos amigos, ele tava saindo do banheiro e não viu que a pizzaria tava sendo assaltada, os ladrões o estranharam e efetuaram um disparo, que levou sua vida, dizem que foi descuido do anjo da guarda, sua família fala que foi porque ele se afastou da igreja, mas eu só sei que perdi um amigo.

Sabe, mano, agora eu tenho contato com uma pá de músico, e podia estar indicando o trabalho do Marquinhos pra eles, mas ele se foi, mais uma vítima dessa guerra, que pende sempre pro lado mais fraco.

Meu último amigo de infância que sobrou aqui já foi, a última testemunha de toda uma batalha pela sobrevivência, sabe, mano, muita coisa mudou por aqui, mas até o céu cobra água pra chover e o processo de evolução tá sendo muito lento.

As letras tão guardadas, o violão tá parado, a gente fica sentado na calçada e direto falamos dele, lembramos dos sorrisos, das madrugadas jogando conversa fora em volta do Postinho, dos sonhos que foram levados por causa de quarenta reais, apenas quatro notas de papel que valem a vida de um amigo, um cara que vestia a humildade. Há vários casos, há vários exemplos, esse é um de alguém que conheci muito bem, um cara que apesar de todo o sofrimento amava a vida, e a queria mais um pouco.

FERRÉZ

O plano

Conto publicado na revista
Caros Amigos, março de 1999.

O esquema tá mil grau, meia-noite pego o ônibus, mó viagem de rolê pra voltar, o trampo nem cansa muito, o que mais condena o trabalhador é o transporte coletivo. Muita gente no busão, muitas de maquiagem pesada, mas muitas também com os cadernos no braço, mulher de periferia é guerreira, quero ver achar igual em outro lugar.

O plano vai bem, dois manos de cadeira de rodas no final do Capelinha, um outro de muleta, um cego entra logo depois, essa porra é ou não é uma guerra?

Os pés descalços, sujos como a mente da elite, o plano vai bem, todos resignados, cada um, uma seqüela, chamados desgraçados, nunca têm no bolso o dobro de cinco, nunca passaram na rua da Confluência da Forquilha, e se passaram, pararam, entraram nos apartamentos, fritaram rosbife, prepararam lindos pratos e em casa nem o ovo é esperado, cuidam da segurança dos outros e em casa nem isso sonham ter.

Não me admira que o plano funcione, os pensamentos são vadios, afinal essa é a soma de tudo, quem? O rei do ponto? Esse tá sossegado só contando o dinheiro, informação? Não! O povo é leigo, não entende, então não complica, o assunto na favela só Casa dos Artistas, discutir na favela, só se o Corinthians é campeão ou não, nada contra; sabe, mas futebol não é arte, futebol é bola e homens correndo. Pra mim num pega nada, desculpa quem gosta disso, mas é simples, é a regra da vida em simples lances, eu quero mais, quero regras complicadas, quero traços que tragam uma época que talvez não vivi, mas sinto, quero palavras que gerem vida, desculpa aí, meu, mas eu não gosto disso aí, pra mim nunca vogô nada, nunca entendi, nunca participei, só sei que muitos de que gostei morreram por isso, mas nunca entendi por que morrer por isso.

O meu povo é assim, vive de paixão, o ideal revolucionário também é pura paixão, muitos amam Lucimares, muitos amam Marias, Josefas, Dorotéias, e na transubstanciação da dor um tiro mata um empresário no posto, o plano funciona.

E quer saber?

NINGUÉM É INOCENTE EM SÃO PAULO.

Somos culpados.

Culpados.

Culpados também.

O mundo em guerra e a revista *Época* põe o Bam Bam do *Big Brother* na capa, mas que porra de país é esse?

Ah! É verdade, o plano funciona.

Tô no busão ainda e um maluco me encara, vai se foder, você é meu espelho, não vou quebrar meu reflexo, mas a maioria quebra, faz o que o sistema quer.

Quem gera preconceito é só quem tem poder, um sem o outro não existe, o ônibus balança que só a porra, tenho até desgosto de continuar a escrever, mas comigo o plano não funciona.

Finalmente o ponto, a porta abre bruscamente, desço, todo mundo no pau, o motorista mal espera descer e sai em disparada, ando até em casa, já tá serenando, pizzaria aberta: Chega aí, Ferréz!

Vô não, irmão, tenho que resolver algumas coisas. Chego em casa, deixo a bolsa, pego o livro do doutor Lair Ribeiro, tenho vontade de rasgar, mas vou deixar lá na biblioteca, deve servir pra alguém, sei lá, vai saber, tem louco pra tudo, né não? Pego o *Memórias de um sobrevivente*, do Luiz Alberto Mendes, isso é livro de verdade, começo a folhear, decido ir pra casa do André, vou serrar um café por lá mesmo, um outro, o meu antigo parceiro pipocou, me decepcionou, se entregou por pouca coisa, que se foda então, ficá perto de fraco dá fraqueza, subo a rua, chamo, ele aparece e diz que tá indo pra casa do Duda, decidimos ir, chegamos lá, a dona Geny já começa a fazer o café, a gente senta no confortável sofá da sala, a Mel vem brincando, que cachorrinha da hora, a Fabiane liga a televisão e o plano começa a funcionar de novo.

FERRÉZ

O ônibus branco

Conto publicado na revista *Caros Amigos – Literatura marginal*, nº 1, agosto de 1998.

Entrei, já estava lotado, não havia notado a semelhança dos passageiros, eu estava esgotado, não sabia mais por onde correr, os dois inimigos atrás de mim não acertaram os tiros, estou intacto fora o cansaço, nem vi de onde eles saíram, vieram cobrar treta do cara errado, eu num tinha nada a ver com aquelas fitas, vou sumariar tudo isso hoje mesmo quando chegar na quebra.

Olhei para o lado e vi o meu parceirinho, não acreditei, Marquinhos ali do meu lado.

— E aí, parceiro, como vai?

— Tamo indo, mó saudade, Nal, me dá um abraço aqui.

— Claro, só você mesmo pra me chamar de Nal, porra, mó saudade, por onde tinha andado?

— Ah! Desde aquele dia da pizzaria que meu anjo de guarda se distraiu eu fiquei por aqui, tô nesse ônibus, junto com outros, olha lá o China, já tá tentando abrir a porta, o motorista fica que fica louco.

— Pode crê! Oh! China...

— E aí, Ferréz.

— Meu, como vai você, cara?

— Tô indo, essa porra desse motorista num abre a porta, eu vou zoar ele.

— Meu, mas você e o Marquinhos no mesmo ônibus, aí já é coincidência demais.

— Nada é coincidência, Ferréz, como tá indo meu irmão lá, e o meu velho e minha mãe?

— Tão bem, eles ficaram bem tristes, né, mas tão indo, o Chininha tá lá, andando de moto como sempre, ele anda muito com o Dentinho.

— Fala uma coisa pra ele véio.

— Fala o quê, China?

— Fala que num compensa, num compensou pra mim, eu tô com saudade, abraça eles pra mim.

— Pode deixar, esse ônibus tá indo pra onde?

— É bom você num sabê.

— Mas Marquinhos...

— Ferréz se liga quem tá lá no banco da frente.

— Quem?

— O Wilhiam.

— Porra, num acredito, chama ele aqui, fomos todos criados juntos, num acredito que ele tá aqui também.

— Só tem um problema, ele num pode passar pra essa parte do ônibus, ele tem que ficar lá na frente, cê sabe né ele aprontou um pouco.

— Num tô entendendo, Marquinhos, como assim?

— Bom, lá com ele tá o Rodriguinho, o Tata, o Dunga, o Edinho.

— Puxa, tá todo mundo aqui, o Rodriguinho eu tenho que ver, ele foi um dia depois que tomamos refrigerante e comemos mó churrascada em frente a padaria, queria perguntar pra ele se...

— Nada disso Ferréz, a gente num pode falar com eles, mas o ônibus tá lotado de amigo nosso até lá na frente, vai reparando...

— Pode crê! Olha o Peixe lá, eita mano firmeza, olha o Boca de Lata que legal, putz, o Rattão tinha que tá aqui, os parceiros dele tão de monte aqui também, mas como tá todo mundo junto assim se...

— O barato é esse Nal, desculpa agora é Ferréz, né?

— Pode chamar de Nal mesmo, nóis num tem essa.

— Então manda um abraço lá pra minha irmã Fabiana, pra Ana Lúcia e pra Mimi, diz pra minha mãe se cuidar que eu amo ela de montão, e vê se lembra disso eu vou voltar, quando você tiver a maior alegria da sua vida, o resto dos parceiros não podem falar com você, eles sempre escolhem um pra falar, então é isso, agora chegou sua hora de descer irmão, já deram o sinal.

— Mas eu queria te dizer que...

— Desce, Nal, eu sei que você sente minha falta, nós sentimos a sua também, mas esse ônibus por enquanto não tem destino pra você, tchau, Nal.

Desci, andei por uma rua escura muito tempo, até achar uma claridade, parei e me dei conta de que a maior alegria da minha vida vai ser quando meu filho nascer, fechei os olhos e abracei todos meus amigos que se foram.

Cheguei em casa e ainda não consegui parar de chorar, pois sei que o ônibus vai continuar tendo novos passageiros, sempre, sempre, sempre.

FERRÉZ

Terra da maldade

Conto publicado na revista *Caros Amigos — Literatura marginal*, nº 2, junho de 2002.

O que mais mata na vida criminal é a trairagem, e isso por aqui não é novidade, meu truta, Zé-povinho pra te prejudicar não precisa nem pensar, e ainda teima em falar: "deveu, duvidou e pagou", como se o Deus deles fosse melhor e mais justo do que o Deus de quem cometeu alguma falha.

Mas, no final das contas, tudo se encaixa ou pelo menos deveria, né não? Parece que o bem que você faz não volta, mas também ninguém deve ficar esperando, afinal maluco que cochila a onda leva.

Às vezes, eu fico vendo uns barato que é embaçado. Analisa comigo: o maluco roda o mundo inteiro dando uma de punk revoltado, gasta todo o dinheiro do pai com penduricalhos, com CDs que não vendem, clipes que não repercutem e visuais que só ele e meia dúzia de playboys entendem, mas Deus é justo e no final o que é certo prevalece, o maluco acaba sendo personagem numa novela ridícula e feita exclusivamente pra classe dele, embora seja meu povo que mais assiste à massificação em forma de estória.

Agora se liga no que a mãe desse boy podia tar gastando tanto dinheiro: o Cursinho da Poli firmou convênio com as comunidades remanescentes de quilombos de Caçandoca (Ubatuba-SP) e Ivaporanduva (Vale do Ribeira-SP).

Os alunos dos quilombos desde o mês de março não freqüentam o curso por falta de transporte.

As aulas eram pra começar a partir de 26 de maio e vão até dezembro de 2001. Como o Estado é incompetente e reza pra gente fazer seu trabalho, aí vai a fita — o maloqueiro aqui convida a quem tiver um poder ou uma influência ou simplesmente boa vontade de ajudar no transporte dessa rapaziada que só quer estudar e dar continuidade ao quilombo, é só ligar no fone 3611-8575. Ih! mano, pode botar fé que procuramos todo mundo, Estado, governo, mas nada adiantou, afinal tem gente mais preocupada em ser capa de revista do que honrar o voto de tanta gente humilde.

Tem os dom mano, juntar dinheiro o ano inteiro, comprar brinquedo e sair distribuindo com os parceiros, e no meio da fila ter um maluco maior que você, então você espera chegar a vez do cara, doido pra dar-lhe uma comida de rabo, e ele te fala assim:

— Você pode dar um carrinho pra mim, eu nunca tive um carrinho.

Então, truta, você dá o carrinho e contém a lágrima? Ou você nega e também contém a lágrima?

Tens as moral de acordar às oito da manhã e se preparar pra ir pro estúdio participar da gravação de um grupo amigo seu, e logo nessa hora saber que uma tiazinha que é sua vizinha foi internada por infecção na urina no hospital de Santo Amaro e que agora está quase morrendo na U.T.I., e você ver a filha dela chorando e te pedindo algum jeito de transferir ela, pensando que, porque você deu entrevista pra Record, os médico tende a te respeitar, e você tens as moral de ligar pra todo mundo e só ouvir não, até que um vereador do PT que é um dos únicos malucos nessa terra que você ainda acredita resolve te dar uma mão e, mesmo assim, não dá pra resolver, afinal o médico não transfere quando a pessoa está na U.T.I. (esse argumento aparentemente é só pra pobre, porque então pra que serve os carros preparados com U.T.I.s)

Tens as moral de dar conselho pra sua amiga que está com pneumonia ir ao médico, mas, como se sabe, o Hospital Campo Limpo só atende quem tiver levado tiro ou facada, então você convence ela a ir pro posto de saúde mais próximo e depois nota que ela está voltando rápido demais, e ela te fala que eles a encaminharam pro Campo Limpo alegando falta de médico e de material, então você nota que a mina tá com uma puta dor, mas apesar de toda dor ela dá uma risada e diz:

— Esquenta não, pobre é assim mesmo.

Sabe, nego, a vida pra quem procura um trampo é assim também, é andar numa rua cheia de gente igual a você, desempregada, e se sentir sozinho, e passar em frente ao McDonald's e ver os anúncios como alguém que aprecia um quadro raro; é querer atravessar a rua pra ver a placa do outro lado e ser xingado pelo dono do carrão importado que tava mais apressado que você.

É você num vacilo olhar pro seu currículo e ter vontade de picar ele todo, afinal você sabe que alguém vai fazer isso mais tarde, só que lhe prometendo ligar se pintar algo.

E você, mina da periferia, volta pra casa ainda desempregada e tem que ver seu filho malvestido, mal alimentado e malcuidado, afinal o pai que devia esta olhando o pequeno está no bar, preenchendo a falta de esperança com álcool, você que é de rocha leu os anúncios de emprego e como sempre deixa seu currículo na agência e não recebe nenhuma ligação, então você passa o olho pelos anúncios de casas de massagem que sempre estão no mesmo jornal, mas com fé em algo maior você os ignora de novo, e promete sair amanhã bem cedo.

Você, minha mana de guerra, não tem o vestido importado, do costureiro fresco, você, minha mana, não tem o par de sapatos mais caro que a pretensão de salário do seu marido, mas não ter não quer dizer que você não mereça, você merece mais, merece dormir em seda, ser tratada com uvas como uma princesa, e isso é o que você é realmente, uma princesa guerreira, uma sobrevivente dos padrões elitistas covardes e maquiados que regem essa grande nação.

Você, sangue bom, volta mais uma vez pro gueto, meu amigo, meu parceiro de favela, volta mais uma vez pra maloca, amanhã se vai acordar cedo de novo, amanhã alguém pode lhe dar um emprego, desanima não, que a vida é dura mesmo, mas aprende que é só pra alguns, e do que adianta tanta palestra, tanto show, tanta novela, tanta tecnologia, tanto CD gravado, tanta euforia pelo escândalo da semana inventado pela *Veja*? Ou se o nosso futebol vai ganhar ou não o brilho há muito perdido?

Quer saber a verdadeira fita? Então, se liga que tá todo mundo usando a palavra *revolução*, essa é a fita, tá todo mundo prostituindo a palavra *revolução*, e com o primeiro luxo que se der pra esses pseudo-revolucionários, aí já viu, né, nego, a casa cai, a revolução fica pra segundo plano e a evolução pessoal entra em cena, a vida é filme, truta, só que quem filma não é nóis, muito menos quem comanda, quem edita e quem distribui.

É bom você parar de comprar no mercado dos franceses, sabe por quê? Porque uma ONG daqui do Capão foi pedir ajuda pra realizar uns trabalhos sociais e a resposta foi: "A gente do Carrefour não faz trabalho social e tem mais: o bairro de vocês não dá retorno, não consome." Então eles vêm, vende as comidas e leva o dinheiro pra terra deles, e você, nego? Você só paga e come. E no outro mês paga de novo, mas não come tanto como no último mês.

Pode crê! Amanhã muita gente vai sair logo cedo, pra se humilhar por um emprego, se liga no que me ligou o parceiro: "Tava no trânsito bem a pampa, passa um rapaz dando uns papel de carro em carro, ele começa a ler esperando os pedidos de dinheiro como sempre, aí ele se comove, no papel tava um pedido de emprego, tava escrito que podia ser qualquer um, o rapaz fazia qualquer coisa."

A lágrima corre, parceiro, o mano que recebeu o bilhete é professor de química do núcleo negro da USP e chegou a chorar no carro, já era 11 horas da noite, e ele tinha acabado de dar aula, pra uma sala de mais de trinta alunos, com mais ou menos oitenta cadeiras vagas, com metade das lâmpadas queimadas, em um barracão com um aspecto estranho, sabe? Um clima amarelo, mas se existe mesmo revolução ela tá ali, e só quem é sabe disso, que num palco as coisas deixam de ser cultura, mano, e começam a ser entretenimento, morô?

Tens a moral, mano, de ficar vendo *A praça é nossa*, rindo a vida inteira das fala errada de um maluco que finge que é uma velha, que se pá podia ser sua mãe, mas você ri, igual ria do finado trapalhão global que é o exemplo que todo negro teve desde pequeno, mano, um cara que falava errado, que era zoado por ser negro o tempo inteiro, que bebia e ostentava o álcool, é isso que você quer ser, truta? Se for, tudo bem, você vai ser o famoso maluco Gasparzinho, aquele que só quer andar no meio deles e ser amigo do outro padrão, se esse era seu padrão de exemplo global, mano, e você tens as moral de aceitar, eu me calo e mudo de assunto, mas se não é, então não colabore com isso tudo, seja verdadeiro, e eu sei que tem uma pá de maluco aí fora que é, só falta pôr pra fora.

Tens as moral, mano, de tentar dormir e ver que já são 5 horas da manhã e os manos que tão tocando um pagode improvisado em frente a sua janela ainda não cheiraram o suficiente, e se pá vão ficar até as 8 no mesmo ritmo, só mudando o refrão, falando de dar uns dois, falando das minas vadias, tinha que ter um limite pra tudo, né não? Mas pra quê? Educação sai de casa, e hoje ninguém tá nem aí pra família, só se vê aqui a falta de auto-estima, mó falta de respeito, moleque que já acorda mandando a mãe pra aquele lugar, imagina o que o professor vai passar com ele mais tarde, já nasce herdando do pai a falta de respeito com os mais velhos, com as mulheres, o que estamos fazendo com nossas mulheres, manos?

É complicado e vou falar agora pra senhora: morar num lugar assim, é muito ruim, né não? Sem nada pra fazer, só ver programa de televisão quando terminar o serviço doméstico, sem ter aonde ir, sem ter com quem conversar, mas o maluco joga *snooker* no bar, e a senhora? Ninguém pensou na senhora!

Imagina você, meu senhor, tendo que tomar o café apressadamente pra pegar aquele velho ônibus lotado, torcendo pros empresários honrarem o acordo feito com a prefeita e colocar ônibus novos nas linhas, afinal você já tá pagando por eles, só que ainda não tá usando, né não? Mas e daí, meu senhor, ficar em pé num ônibus novo ou velho dá no mesmo, se a marmita tiver que vazar vai ser por causa do chuchu e aquele dia foi muita vergonha pra um trabalhador humilde como o senhor, que sempre pagou condução e tem que agüentar os moleques quebrando as portas pra poder subir e surfar na Marginal. "Liga lá, meu, liga lá, mete a boca, manda e-mail, manda carta", é o que a burguesia costuma dizer, mas você, meu senhor, não tem sobrenome importante, você não é classe média, e não tem voz, mas vê se num é foda só ficar parado, vendo tudo de errado, nóis não temos que passar esses venenos mas nos fizeram aceitar, e nós sempre aceitamos.

E você acaba analisando e chega à conclusão que já foi pior, né não? Mas será? Não sei! Brasileiro tem a memória curta, se pá tudo já passou, é mesmo, oh! Tudo já passou, vamos viver de brisa, vai aí, mano! Acende o baseado, vamos fumar mesmo, somos gueto, somos favela, então acende o bagulho! Mas peraí! Se tudo que num presta tem de monte na favela, então tem algo errado na maconha, né não? Ela tem de monte aqui, meu! Coisa pra pensar, né? Essas coisas eu debato com o professor Pablo, só mais um morador daqui, só que extremamente consciente e eu sinto a vontade dele, a vontade de mudar essa vida, talvez pra muitos ele seja só mais um qualquer que acredita nas coisas certa, que acredita assim como eu que de repente a gente vive quase no lixo mas não faz parte dele, e, embora ele seja um, e ande com poucos, ele é um risco, hein, um real risco pro sistema.

Tens as moral de você, sem mais nem menos, esquecer sua moto na calçada e entrar pra bater um rango na comida gostosa que sua mãe fez, mesmo sofrendo com as varizes nas pernas, e depois que vai pegar a moto pra pôr pra dentro você abre o portão e leva uma coronhada no meio da cara. Alguns minutos depois você ainda está se explicando pro policial que te bateu, o documento da moto tá na mão dele, sua cara continua sangrando, ele joga o documento e diz que pensou que a moto fosse roubada, também, nego, a culpa é sua, afinal deixar uma moto bonita como essa na viela é mó goela, vacilou grandão, hein! Tá pensando o quê? Que tá morando num lugar em que os outros te respeitam? Você errou, mano, que nem aquele seu amigo que correu semana passada da ROTA, simplesmente porque tava com medo do gambé cheirar a mão e sentir o cheiro da erva então, você viu o que aconteceu com ele, né? Seis tiros nas costas, mas a culpa é dele, porque correu, só nesse país você morre e é apontado como culpado da própria morte no boletim de ocorrência, aqui ele já sabia que a polícia é repressão, bem diferente do tratamento que eles dão pros boys no centro, ali eles são atenção total, se moscar eles te levam até o endereço que você tá procurando, tipo táxi de elite, eu mesmo já vi, mano, tá duvidando? Paga pau de uniforme faz de tudo pra ser simpático com a elite, o que ele quer ganhar? Sei lá, só ser útil pra elite, ela que o criou, né não? Subserviência gratuita, coisa de tradição cultural.

Pode crer, mano, a gente tá aqui meio jogado, meio isolado, meio desesperançado, mas nunca meio derrotado, sempre meio tudo, menos meio derrotado, aqui ninguém vai desistir não, a gente ainda acredita em Zumbi, falta mais informação dele e de vários que são verdadeiros exemplos da palavra *revolução*, mas a gente consegue, né não?

Vamos ao acordar repetir bem alto as palavras: eu quero, eu posso, eu sou. Porque, quando o Atrês (vocalista do grupo Outraversão) escreveu isso, ele queria que isso fosse cantado por milhares de pessoas, mas você sabe como é, né? Refrão otimista não pega, é mais fácil fazer vinheta, fazer refrão que desvirtua nosso passado, que zoa nosso futuro e que fica na sua mente já tão poluída e cansada.

E a culpa é nossa, truta, de ficar comprando lixo, compactuando com coisas que só nos rotulam e nos limitam, se liga só, o gueto é louco, o gueto tem muita cultura, mas ficar restrito a ele é ajudar a elite no plano dela, os pobres pra cá, e os seres humanos pra lá, vamos deixar isso assim, não, eles têm que sentir nóis, têm que nos ver, tremer, se ressabiar, ficar paralisado, mas não simplesmente com medo de ser assaltado, eles têm que olhar pra gente e pensar assim, ó: "Tá vendo aquele menino da favela ali, ele sabe que eu só tenho muito porque eu sempre explorei seu povo, e ele passa nos olhos o que eu mais temo, o dia em que o jogo irá virar, ele tem informação o suficiente pra saber que tudo isso que tenho foi conquistado às custas da avó dele, da mãe dele, e o pior é que ele acredita que não será às custas dele, mas, e agora, de quem que eu vou pegar?"

Antes de terminar este texto definitivamente, eu tava até positivista, sabe por quê? É porque aquela senhora minha vizinha que não podia ser transferida por estar na U.T.I. teve uma melhora na sexta-feira, só que eu fiquei contente cedo demais, e no domingo me avisaram que ela veio a falecer, não conseguimos transferência, pedi pra todo mundo que eu conhecia que tinha uma influência, mas não foi o bastante.

Deus me perdoe, fiz o que pude e não foi o bastante, é de madrugada, agora, não tô com raiva de ninguém, juro! Mas também não tenho mais nada pra escrever que valha realmente a pena, só que eu queria realmente ter um poder maior, sabe, mano, pra ter transferido ela a tempo porque em ocasiões como esta eu penso: o que vale tudo isso, fazer um livro, escrever uns textos, e não ver melhora, não sentir que tá adiantando algo, sabe? Deus me perdoe se eu estiver na missão errada, às vezes acredito pra caramba, mas em dias como este eu olho pra todas as casas daqui, penso em seus moradores, vejo meus vizinhos cada vez na mesma ou pior e me desculpe, Deus, mas não vejo melhora e isso dói.

JOÃO ANTÔNIO

Guardador

Do livro *Abraçado ao meu rancor*, publicado
pela editora Guanabara em 1986.

A
CARTOLA,

mestre, considerado, poeta da
Estação Primeira de Mangueira,
consagro esta história curta

A rua ruim de novo.
Abafava, de quente, depois de umas chuvadas de vento, desastrosas e medonhas, em janeiro. Desregulava. Um calorão azucrinava o tumulto, o movimento, o rumor das ruas. Mesmo de dia, as baratas saíam de tocas e escondidos, agitadas. Suor molhava a testa e escorria na camisa dos que tocavam pra baixo e pra cima.
O toró, cavalo do cão, se arrumava lá no céu. Ia castigar outra vez, a gente sentia. Ia arriar feio.
Dera, nesse tempo, para morar ou se esconder no oco do tronco da árvore, figueira velha, das poucas ancestrais, resistentes às devastações que a praça vem sofrendo.
Tenta a vida naquelas calçadas.
Pisando quase de lado, vai tropicando, um pedaço de flanela balanga no punho, seu boné descorado lembra restos de Carnaval. E assim sai do oco e baixa na praça.

Só no domingo, pela missa da manhã, oito fregueses dão a partida sem lhe pagar. Final da missa, aflito ali, não sabe se corre para a direita ou para a esquerda, três motoristas lhe escapam a um só tempo.

Flagrado na escapada, um despachou paternal, tirando o carro do ponto morto:

— Chefe, hoje estou sem trocado.

Disse na próxima lhe dava a forra.

Chefe, meus distintos, é o marido daquela senhora. Sim. Daquela santa mulher que vocês deixaram em casa. Isso aí — o marido da ilustríssima. Passeiam e mariolam de lá pra cá num bem-bom de vida. Chefe, chefe... Que é que vocês estão pensando? Mais amor e menos confiança.

Mas um guardador de carros encena bastante de mágico, paciente, lépido ou resignado. Pensa duas, três vezes. E fala manso. Por isso, Jacarandá procura um botequim e vai entornando, goela abaixo, com a lentidão necessária à matutação. Chefe... O quê! Estão pensando que paralelepípedo é pão-de-ló?

— Assim não dá.

Havia erro. Talvez devesse se valer de ajudante, um garoto molambento mas esperto dos descidos das favelas, que mendigam debaixo do sol da praça, apanham algum trocado, pixulé, caraminguá ocioso e sem serventia estendido pela caridade, ainda mais num domingo.

Que dão, dão. Beberica e escarafuncha. Difícil saber. Por que as pessoas dão esmola? Cabeça branquejando, o boné pendido do lado reflete dúvidas.

Três tipos de pessoas dão. Só uma minoria — ninguém espere outro motivo — dá esmola por entender o miserê. Há a maior parte, no meio, querendo se ver livre do pedinte. O terceiro grupo, otários da classe média, escorrega trocados a esmoleiros já que, vestidos direitinhamente, encabulariam ao tomar o flagra em público — são uns duros, uns tesos. Para eles, não ter cai mal. Se é domingo, pior. Domingo é ruim para os bem-comportados.

Apesar da pinga, esses pensamentos não o distraem de suas necessidades cada vez mais ruças, imediatas. Se trabalhou, guardando-lhes os carros, por que resistem ao pagamento da gorjeta? Eles rezando na Catedral e, depois, saindo para flanar. Teriam dois jeitos de piedade — um na Catedral, outro cá fora? Chamou nova *uca* para abrir o entendimento.

Muita vez, batalhando rápido nas praças e ruas, camelando nos arredores dos hotéis e dos prédios grandes do centro, no aeroporto, na rodoviária, notou. Ele era o único que trabalhava.

Muquiras, muquiranas. Aos poucos, ondas do álcool rondando a cabeça, capiscou. Os motoristas caloteiros e fujões, bem-vestidinhos, viveriam atolados e amargando dívidas de consórcio, prestações, correções monetárias e juros, arrocho, a prensa de taxas e impostos difíceis de entender. Mas tinham de pagar e não lhes sobrava o algum com que soltar gorjeta ao guardador. Isso. O automóvel sozinho comia-lhes a provisão. Jacarandá calculou. Motorista que faça umas quatro estacionadas por dia, larga, picado e aí no barato, um tufo de dinheiro no fim do mês.

Vamos e venhamos. Se não podiam, por que diabo tinham carro? O portuga diz que quem não tem competência não se estabelece. Depois, a galinha come é com o bico no chão.

Tomar outra, não enveredar por esses negrumes. Nada. Corria o risco de desistir de guardador. Ele sabia, na pele, que quem ama não fica rico. E, se vacilar, nem sobrevive. Para afastar más inclinações, pediu outra dose.

À tarde, houve futebol; suaram debaixo de um sol sem brisa. Ele mais um magrelo de uns oito anos, cara de quinze. A sorte lhes sorriu um tanto; guardando uma filcira de carros no estádio, levantaram uns trocos, o criloulinho vivaço levou algum e o homem foi beber. Havia se feito um ganho.

Quando a peça não tem o que fazer, não tem nada o que fazer.

Já não tem gana, gosto. E nem capricho; acabou a paciência para amigo ou auditórios. Distrações suas, se há, vêm da necessidade e dos apertos. Não que o distraiam; certo é que o aporrinham. Depois, não é de lamentações; antes, de campanar. Nem joga dominó ou dama, a dinheiro, com os outros, enfiados na febre dos tabuleiros da praça na sombra das mangueiras. Mas que espia, espia, vivo entendedor. Goza com os olhos os lances errados dos parceirinhos bobos.

Nem sustentava a vitalidade dos guardadores. Bebia, lerdeava e, depois da hora do almoço, largava-se cochilando no oco da figueira. Era acordado pela molecagem de motoristas gritalhões. Nada de grana e ainda desciam a língua:

— Pé na cana! Velho vagabundo!

Os cabelos pretos idos e, de passagem, a vivacidade, a espertice, o golpe de vista, o parentesco que guardadores têm com a trucagem dos camelôs e dos jogadores de chapinha, dos ventanistas, dos embromadores e mágicos, dos equilibristas e pingentes urbanos. Surgir nos lugares mais insuspeitados e imprevistos, pular à frente do motorista no momento em que o freguês não espera. Miraculosamente, como de dentro de um bueiro, de um galho de árvore, de dentro do chão ou do vão de alguma escadaria. Saltar rápido e eficiente, limpando com flanela úmida o pára-brisa, impedindo a escapada e cobrando com cordialidade. Ironizar até, com humildade e categoria, tratando o cara de doutor. E de distinto.

Aos trompaços dos anos e minado pelo estrepe dos botequins, ele emperrara a sua parte dessa picardia levípede.

Havia cata-mendigos limpando a cidade por ordem dos mandões lá de cima. Assim, no verão; os majorengos queriam a cidade disfarçada para receber turistas e visitantes ilustres. Os jornais, as rádios e a televisão berravam e não se sabia se estavam denunciando ou atiçando os assaltantes e a violência das ruas. Quando em quando, o camburão da polícia cantava na curva da praça e arrastava o herói, na limpeza da vagabundagem, toda essa gente sem registro. A gente do pé inchado. Ele seguia, de cambulhada, em turminha. Lá dentro do carrão, escuro e mais abafado.

Cambaio, sapatos comidos, amuava e já se achava homem que não precisava de leros, nem tinha paciência para mulher, patrão ou amizadinha. De bobeira, tomava cadeia; saía, de novo bobeava, o metiam num arrastão.

Lá vai para o xilindró.

— Chegou o velho chué!

No chiqueiro da polícia, mofava quinze dias, um mês. Velho conhecido e cadeeiro, sim, era salvado com zombaria que parecia consideração na fala dos freges e dos cafofos. Banguelê:

— Chegou o velho cachaça!

Se entre o pessoal, se os mais moços, se os mais fortes não o aporrinhavam com humilhações, desintoxicava ali, quieto nos cantos que lhe permitiam.

E tem que, não bebido, volta. É outro. Os movimentos do seu corpo ainda magro de agora lembram os movimentos do corpo antigo. O verde das árvores descansa, ah, assobia fino e bem, ensaia brincar com as crianças da praça. Dias sem cachaça, as cores outra vez na cara, concentra um esforço, arruma ajudante, junta dinheiro. Quando quer, ganha; organizado, desempenha direitinho. Nas pernas, opa, uma agilidade que lembra coisa, a elegância safa de um passista de escola de samba.

Vem carro acolá:

— Deixa comigo.

Mas na continuação, nem semana depois, derrapava. À cana, à *uca*, ao *mata-bicho*. Ao pingão. Fazia um carro, molhava o pé. Fazia mais, bebia a segunda e demorava o umbigo encostado ao balcão. Dia depois de dia entornando, perdia fregueses e encardia, não tomava banho. Ia longe o tempo em que dormia em quarto de pensão. E nem se lembrava de olhar o mar. Enfiava-se, se encafuava no oco do tronco da árvore velha, tão esquecida de trato. Fizera o esconderijo e, então, o mulherio rezadeiro das segundas e sextas-feiras ia acender suas velas para as almas e para os santos ao pé de outras árvores. E xingavam quem lhes tomara o espaço.

Dizia-se. Miséria pouca é bobagem.

A praça aninhava um miserê feio, ruim de se ver. A praça em Copacabana tinha de um tudo. De igreja à viração rampeira de mulheres desbocadas, de ponto de jogo do bicho a parque infantil nas tardes e nas manhãs. Pivetes de bermudas imundas, peitos nus, se arrumavam nos bancos escangalhados e ficavam magros, descalços, ameaçadores. Dormiam ali mesmo, à noite, encolhidos como bichos, enquanto ratos enormes corriam ariscos ou faziam paradinhas inesperadas perscrutando os canteiros. Passeavam cachorros de apartamento e seus donos solitários e, à tarde, velhos aposentados se reuniam e tomavam a fresca, limpinhos e direitos. Também candinhas faladeiras, pegajosas e de olhar mau, vestidas fora de moda, figuras de pardieiro descidas à rua para a fuxicaria, de uma gordura precoce e desonesta, que as fazia parecer sempre sujas e mais velhas do que eram, tão mulheres mal-amadas e expostas ao contraste cruel do número imenso das garotinhas bonitas no olhar, na ginga, nos meneios, passando para a praia, bem dormidas e em tanga, corpos formosos, enxutos, admiráveis no todo... também comadres faladeiras, faziam rodinhas do ti-ti-ti, do pó-pó-pó, do diz-que-diz-que novidadeiro e da fofocalha no mexericar à boca pequena, chafurdando como porcas gordas naquilo que entendiam e mal como vida alheia, falsamente boêmia ou colorida pelo sol e pela praia, tão aparentemente livre, mas provisória, precária, assustada, naqueles enfiados de Copacabana. Rodas de jogadores de cavalos nas corridas noturnas se misturavam a religiosos e a cantorias do Nordeste. Muito namoro e atrações de babás e empregadinhas com peões das construtoras. Batia o tambor e se abria a sanfona nas noites de sábado e domingo. Ou o couro do surdo cantava solene na batucada, havia tamborim, algum ganzá e a ginga das vozes mulatas comia o ar. Aquilo lhe bulia — se a gente repara, a batida do pandeiro é triste. Ia-lhe no sangue. Os niquelados agitavam o ritmo, que o tarol e o tamborim lapidam na armação de um diálogo.

O vento vindo do mar varria a praia e chegava manso ao arvoredo noturno. Refrescava.

Os olhos brilhavam, quanto, ficavam longe, antigos e quase infantis numa lembrança ora peralta, ora magnífica. O samba. Era como se ele soubesse, lá no fundo. O que marca no som e o que prende e o que importa é a percussão. Mas meneava a cabeça, como se dissesse para dentro: "Deixa pra lá."

Outra vez. Na noite, o bacana enternado, banhado de novo, estacionou o carro importado, desceu. Entrou na boate ali defronte, ficou horas. Saiu, madrugada, lambuzado das importâncias, empolado e com mulher a tiracolo.

Jacarandá, bebido e de olho torto, vivia um momento em que fantasiava grandezas, tomando um ar cavalheiresco.

O rico, no volante, lhe estendeu uma moeda.

A peça, altaneira no porre, nem o olhou:

— Doutor, isso aí eu não aceito. Trabalho com dinheiro; com esse produto, não.

Avermelhado, fulo, o homem deu partida, a mulher a seu lado sacudiu, o carrão raspou uma árvore e sumiu. Pneus cantaram.

O menino já tinha se mandado, pegara o rumo do morro e, não estivesse no aceso de um pagode, sambando, estaria dormindo no barraco. Era hora.

Jacarandá, cabeça alta, falou-lhe como se ele estivesse:

— Xará, eu ganho mais dinheiro que ele. É que não saio do botequim.

Aí, foi para dentro do oco da árvore, encostou a cabeça e olhou a lua.

JOÃO ANZANELLO CARRASCOZA

No morro

Do livro *Duas tardes*, publicado
pela editora Boitempo em 2002.

O menino voltou correndo, arfante, com o coador de café que a mãe pedira para ele comprar. O barraco, distante da avenida onde se situava a única venda que abastecia a favela, equilibrava-se no alto do morro, entre dezenas de outros iguais, cortados pelas ruelas que se entrecruzavam, como as linhas de suas mãos. Retirou a folha de zinco que servia como porta, entrou e recolocou-a no lugar. Usava uma camiseta cheia de furos, uns chinelos de borracha estropiados, uma bermuda larga, que lhe deixava à mostra os ossos da bacia, embora tivesse passado pelas presilhas um barbante, à guisa de cinta, e o amarrasse para segurá-la.

Entregou o coador à mãe debruçada ao fogão, despejou o troco na mesa tosca, tirou a camisa, pendurou-a num prego da parede e deitou-se no colchão a um canto, único conforto que ali lhe cabia. Abraçou-se à bola de futebol, murcha, que um dia achara no lixão. Descansou um instante, observando a mãe de costas a cozinhar, quieta, e, acima de sua cabeça, a abertura na parede que servia de janela, pela qual podia ver o sol flutuando no céu, como uma gema de ovo. O verão iluminava as águas da baía lá fora, enquanto ali dentro o calor sufocava e o suor lhe manava da face. Gostava de vê-la, mãe, vivendo silenciosamente a sua vida diante dele, sem gritos e resmungos, assim como ele à frente dela. E tanta era a força de seu olhar, que a mulher sentiu como se lhe ardesse uma brasa na nuca e virou-se, desconfiada de que os anos a tivessem iludido e, ao girar, de repente, encontrasse não seu menino, mas um homem, quase a bater a cabeça no teto, o homem que ele seria um dia, não a criança que agora era — e, imperceptivelmente, a usina de seu corpo o gerava.

— O que você está olhando? — perguntou ela.

— Nada — ele respondeu.

A mãe o examinou como quem descasca uma cebola, tirando as películas que escondem o seu miolo sadio e, se o filho se enternecia vendo-a pelas costas — esperando que se virasse e lhe revelasse um sorriso de cumplicidade —, a mãe podia detectar o que ainda era semente nele, o que raiz, e reconhecê-lo pelo avesso, folha que se soltara de seu corpo, como a pena caída ainda o é do pássaro.

Uma brisa entrava pela fresta da parede e refrescava a face afogueada do menino, o cheiro do café serpeava no ar até se enfiar em suas narinas atrás de um outro, atávico.

— Cansou? — perguntou ela.

— Cansei — respondeu ele.

— Por que voltou correndo?

O menino não respondeu, ao menos com a voz, o corpo o fez com um mover de ombros, e ele fechou os olhos, o coração golpeando o peito, como uma flor que põe todas suas forças no ato de se abrir. *Assim são as crianças*, pensou ela, como outras mães, *correm para que logo nada tenham a fazer*. Bom quando tinha a idade do filho, não sabia que haveria de passar a vida a fazer tantas coisas às pressas, e todas a dar em nada, que nada era aquele viver, só suportável por ter os olhos dele envolvendo-a em silêncio — grãos únicos de luz na nuvem de poeira que era.

— Então vê se descansa — ela disse, o pano de prato entre as mãos, já se voltando para o fogão.

Às vezes, pedia ao menino para escolher o arroz, enquanto cuidava de fazer o milagre do dia — encontrar no meio dos poucos víveres o que fazer para lhes matar a fome —, e ele a ajudava, catando os marinheiros, as pedrinhas, as cascas secas, descobrindo, inesperadamente, um jeito de esquecer das coisas com as quais sonhava e nunca lhe chegavam às mãos.

Agora, imóvel, ele ouvia os sons que nasciam da favela, o tilintar de uma caneca, o chiar de um rádio, o vozerio das mulheres que passavam lá fora com latas de água na cabeça, e os separava como as sujeiras do arroz, atento para não perder nenhum, compondo com aqueles ruídos sua percepção momentânea do mundo. Lembrou-se da caixinha de lápis de cor e do caderno que ganhara das mulheres que, vez por outra, vinham ao morro distribuir entre as famílias umas cestas de comida, uns brinquedos, uns remédios. Levantou-se, abrupto, atendendo ao chamado urgente de seus sentidos, ergueu o colchão e pegou debaixo dele a caixinha de lápis e o caderno amassado, uns cantos roídos pelos ratos, umas folhas ainda em branco.

— Vou desenhar lá fora.

A mãe virou-se, um minuto atrás ele parecia se entregar ao sono e, agora, estava de pé, de forma que ela ficou confusa, como se tivesse passado muitas horas entre seu movimento de retornar ao fogão, dando as costas ao filho, e esse revê-lo outro, serelépido, a ponto de pensar que ela mesma é quem dormira de pé, e ele, com sua presença sólida, a acordara.

— Tudo bem — disse ela. — Lá fora está mais fresco.

Ele removeu a folha de zinco, saiu para o beco e, quando ia recolocá-la no lugar, ouviu a mãe dizer, em parte para tê-lo à mão, em parte para arejar a casa:

— Pode deixar aberta.

À entrada do barraco, havia uma saliência no chão para impedir que a água da chuva arrastasse barro para dentro. Ali o menino sempre se punha a ver a baía brilhando ao sol lá longe, o vaivém das gentes, subindo e descendo o morro, a noite aterrissando sobre todas as coisas, as luzes da favela acendendo aos poucos, aqui, ali, lá embaixo.

Sentou-se, abriu o caderno, pegou uns lápis da caixinha e se pôs a desenhar. O calor atordoava, mas o vento circulava pelas ruas do beco e vinha dar naquela ruela, onde ele colhia mais uma tarde de sua vida. E era vento tão vigoroso, que entrou sem cerimônia no barraco, derrubou umas ripas de madeira e chegou até a mãe diante do fogão. Ela sentiu com gratidão aquele frescor e girou o corpo como se pudesse ver o vento, como se ele fosse um conhecido que ali chegasse para saudá-la, mas se não o viu, invisível que era, o visível agarrou-se aos seus olhos como um ímã: emoldurado pelo retângulo da porta, estava seu menino, de costas, a cabeça baixa, a nuca semicoberta pelos cabelos, as espáduas magras, os cotovelos dobrados, a bermuda abaixo da cintura, revelando o rego das nádegas. Comoveu-se ao vê-lo daquele ângulo, que realçava ainda mais a sua fragilidade. A ele não tinha nada a oferecer senão a sua muda resignação, a comida que nem sempre conseguia comprar com os caraminguás das esmolas, a vida sem esperança. Às vezes, em desespero, tinha desejos de se atirar à frente dos ônibus que passavam velozes na avenida beira-mar, mas um fiapo de sonho a impedia, e lá estava ele, inconsciente de sua força, sem saber que, à semelhança de um prendedor no varal, segurava a existência dela como uma roupa seca.

Em traços grotescos, o menino desenhou um barraco com uma antena de TV, o sol e umas nuvens acima dele, abaixo uma meia-lua de praia. E logo, sem hesitar, uma criança com sua bola de futebol e uma mulher, como se suas mãos só soubessem dar a vida àquelas figuras. Em seguida, começou a pintar, escolhendo as cores com atenção, que o azul do céu não era o mesmo do mar, o marrom do barraco distinto do marrom dos cabelos da mãe. Preenchia os espaços brancos, ouvindo o som do lápis em atrito com o papel, mordia os lábios, punha a língua de fora, girava a cabeça para avaliar o resultado, falava consigo mesmo, como se explicando a alguém as suas escolhas. Então escutou o rumor que vinha lá dos lados da venda. Um burburinho distante e o som de vidros se estilhaçando.

Um novo estampido e ele ergueu a cabeça, observou as ruelas de terra coleando pelo morro, e como nada via, só a enganadora solidez dos barracos, encompridou os olhos para a baía que se estendia, ondulante, lá embaixo. Soaram outros estampidos, e logo novas saraivadas. Na certa, era alguém soltando foguetes. Gostava quando os homens comemoravam a vitória de seus times de futebol: de repente, irrompia o foguetório, os morteiros subiam ao céu, puxando um rastro de fumaça, e explodiam, ensurdecedores. E lá vinham outros, e outros, e outros. Mas esses deviam ser foguetes diferentes, não havia fumaça, o ar continuava inviolado, vibrando de doer a vista. A mãe, junto ao fogão, nada ouvia senão o chiar das cebolas dourando no fundo da panela. Os estampidos ao longe cessaram. Ecoaram em seguida uns gritos, e o estrondo de um tropel que se aproximava. Podia ser a turma da escola de samba que vinha à noite ensaiar; mas era cedo demais, o sol ainda esplendia às alturas. Lápis na mão, o menino queria continuar a colorir seu desenho, de volta à sua vida, mas os estampidos recomeçaram e a eles agarravam-se uns gritos que vinham rumo aos barracos mais altos.

De súbito, uns rapazes passaram correndo pelo beco, em fuga; o menino sequer pôde ver quem eram, e já no encalço lhes seguiam uns policiais armados, aos gritos.

— Pega, pega!

O menino ouviu outros estampidos. E, antes que os policiais sumissem morro acima, sentiu algo lhe beliscar o peito. Encostou-se na parede de madeira do barraco, inesperadamente fraco, uma estranha queimação nas costas. O caderno lhe escapou da mão e caiu sobre o peito. De um instante para o outro, os olhos lhe pesavam, estava com sono, cansado de ter corrido até a venda, o estômago rumorejando de fome. A boca começou a lhe saber à ferrugem. O peito ardia, e ele suava, suava tanto que o corpo se ensopara. As vistas se escureciam, mas ainda há pouco era tarde, o sol fulgurava, como a noite chegara tão depressa? O que estava acontecendo? Um vulto se inclinou sobre ele, não conseguia distinguir seu rosto, mas sabia: era a mãe. E ela o abraçava com força, podia sentir suas costelas magras e sua boca de café. Ouviu umas vozes longínquas, um bulício, e experimentou uma sensação de torpor, de tristeza, de solidão. Queria dormir, mas não lhe deixavam. As costas doíam, os braços e as pernas pesavam como pedras. Começou a tremer. Tentou dizer à mãe que sentia frio, mas não lhe saíam palavras. Parecia que ela o embalava no colo e o levava para dormir no colchão. Onde estava a bola? Queria pegá-la, mas faltava-lhe força. Abriu a mão, o lápis de cor caiu na terra. Ouviu outro estampido, remoto. Depois, o zunir do vento, desfolhando as páginas brancas de seu caderno, tingidas do mais vivo vermelho.

JOÃO BATISTA MELO

O jogo

Publicado no jornal *Rascunho*, nº 66,
setembro de 2004.

Uma gota se eterniza, metálica, na pia do banheiro. Nem o rapaz que se assenta mais próximo, numa banqueta na porta da cozinha, presta atenção no som que ecoa persistente. Seus olhos, assim como os de todos na sala, convergem apenas para o aparelho de televisão. Ali dentro, no espaço das vinte e nove polegadas, movimentam-se homenzinhos coloridos, alguns brancos e outros amarelos, e por baixo deles o carpete esverdeado de um campo de futebol.

O mais velho entre as pessoas na sala não ultrapassa os 25 anos de idade e se acomoda num sofá puído bem diante da TV, o braço pousado no ombro de uma mulher. Ela, por sua vez, segura a mão da criança sentada ao lado, um menino de quatro anos que, também, não desvia os olhos da tela. Em cadeiras e tamboretes espalhados pelo cômodo, há mais dois casais e três rapazes.

Um dos homenzinhos de branco toca a bola pela esquerda do campo, contorna os jogadores do time rival e se aproxima do gol. Mas alguém de uniforme amarelo suga a bola com os pés e a joga para o campo adversário. As pessoas na sala suspiram aliviadas. A mulher observa, para ninguém em especial, que a Seleção está segurando bem o jogo.

O início de uma partida é como o princípio de tudo. As formas e acontecimentos parecem sondar-se para descobrir o seu verdadeiro caminho. Algo ainda em formação, tateando na experiência enquanto não se consegue firmar. Como os encontros amorosos. Como os textos que vão se construindo. Ou como aqueles que nunca se constroem.

Lá fora, soa o estrondo de um foguete isolado. O homem no sofá reclama do estouro, diz que o povo se apressa.

— Nem chute no gol teve, pra que estourar bomba?

Os rapazes balançam a cabeça, concordando com a observação. Bebem em silêncio o copo de cerveja e assistem ao jogo. Naquele instante, nada no mundo parece ter uma real importância. Apenas no retângulo da tela se desenrolam os fatos que interessam. Afinal, trata-se de uma emoção inesperada, ninguém apostaria dez centavos, no início da Copa, que o Brasil chegaria à final, e no entanto lá está a Seleção enfrentando, de igual para igual, a máquina da Alemanha. É por isso que as pessoas naquela sala preferem conversar menos e apenas ver o bordado que a bola tece por cima do gramado.

Os nomes dos jogadores, subitamente convertidos em palavras mágicas, invadem o espaço da sala. A cada lance perdido ou jogada feliz, alguém murmura merda, porra ou legal e volta a se calar. Os alemães traçam ofensivas rápidas e ameaçadoras. Um brasileiro chuta contra o gol, mas a bola choca-se na trave e se desvia como um reflexo. Outro jogador elabora uma jogada bem tramada, que no entanto se desfaz inútil quando a bola é retida, por acidente, pela perna do goleiro alemão.

O menino diz que vai fazer xixi e a mulher se impacienta com a perturbação no instante crucial:

— Vai logo!

Mas o menino demora, temeroso de perder o desenrolar da partida. A mulher faz um carinho em seus cabelos e diz que é só um minuto e que ele não vai perder nada. O garoto se levanta, passa no meio das cadeiras e entra no banheiro. Prestando atenção no som do televisor, que chega ali abafado como se vindo de uma casa vizinha, pergunta a toda hora "foi gol? foi gol?" e o pai, o homem sentado ao sofá, responde numa voz sem entonações: "Não, faz xixi!" Ansioso, o menino molha o assento, frisos dourados aflorando sobre o plástico, uma miríade de canais que larga ali sem limpar e começa a voltar para a sala. Na saída do banheiro, ouve as gotas na pia e sente-se atraído pelo ruído, leve, quase inaudível. Olha os pingos e então os intercepta, o pequeno dedo encostando-se à boca da torneira. As gotas se espraiam, convertem-se em fonte. O garoto não se move por alguns minutos, esquecido da partida de futebol, alheio aos gritos e desabafos dos adultos, enfim se cansa, tenta inutilmente fechar a torneira, e retorna ao lado da mãe.

Quando o juiz encerra o primeiro tempo, todos se levantam com gestos de lamentação. Conversam animadamente em grupos distintos, apontando as falhas que perceberam na Seleção, as oportunidades perdidas, as ameaças que os pés dos alemães construíram rumo à grande teia do gol brasileiro. Alguns dos homens vão ao banheiro verter a cerveja e as mulheres, por sua vez, se ajuntam em volta do fogão. Numa trempe, aquecem o óleo de soja e lançam na frigideira fatias de batata. Em outra, uma panela é fechada para acolher os estalos — reprodução dos foguetes em escala reduzida — dos milhos florescendo e se abrindo no branco esponjoso de um turbilhão de pipocas. O menino rodeia os cheiros, ansioso para abocanhar ambas as guloseimas.

O homem do sofá continua sentado, revendo os lances que a televisão repete em meio aos comentários do locutor. Quando se iniciam os comerciais é que ele se levanta e abre a porta da sala e olha para o horizonte. Foguetes esporádicos estouram no céu, ofuscados pela brilhante luz da manhã. Lá longe o mar responde à iluminação do dia, criando uma profusão de traços e brilhos, entre os quais os barcos são meras sombras sem definição. O homem olha para o arco da Baía de Guanabara e o domo do Pão de Açúcar lhe sugere o cupim de formigas gigantes. Ele se diverte sozinho dando rostos humanos aos titânicos seres de sua imaginação, depois volta para dentro da sala e fecha a porta para isolar a claridade. Vai ao banheiro mijar. Antes enche de novo o copo de cerveja e bebe tudo de uma vez, enquanto beija a boca de sua companheira que, por pouco, não se queima no manuseio das batatas ferventes. Diante do espelho rajado por manchas de ferrugem, sorri feliz com o começo desse dia. Todas as manhãs deveriam ser assim, somente o prazer de assistir a um jogo e beber uma cerveja, sem a balbúrdia do trabalho e da sobrevivência. Abre a torneira e passa água no rosto para espantar os vestígios de sono, trabalhara até muito tarde na véspera e, agora, o canto dos olhos insiste em manter-se mais fechado que o normal. O choque do encontro com o líquido frio faz a pele arder, mas ele sequer treme, tornando a repetir o gesto mais algumas vezes até se sentir de novo desperto. Uma bênção a água e o esgoto, raros canais penetram no subterrâneo dos morros. Privilegiada sua favela, privilegiada sua casa, construída na região do morro onde os fluidos circulam no encaixe dos canos.

Ele roda a torneira, fecha a braguilha e abre a porta, mas antes de sair, escuta os pingos caindo sobre a lâmina de água que — entupido — o ralo cultiva em torno de si. Volta e torce o registro com força, mas as gotas não se desfazem, mantendo o ritmo cadenciado. Dirige-se à porta, ameaça desistir, porém as gotas infiltram-se em seus ouvidos e ali se alojam num segundo que parece eterno. Volta atrás, insiste com mais e mais força, o rosto se contraindo com a tensão do desafio, até que o registro da torneira solta-se em suas mãos.

— Puta! — ele grita, jogando a peça metálica num canto, e sai do banheiro, alheio ao filete contínuo que agora substitui as gotas e, devagar, eleva o nível da água empoçada no fundo da pia.

Na sala, ninguém dá mostras de ter ouvido sua explosão. Não falam mais do jogo, e sim da cerveja, discutindo se aquela é a melhor e se não deveriam ter comprado garrafas de outra marca. Uma das mulheres se aproxima com o prato cheio de batatas crepitantes e todos se aglomeram em torno, as mãos lambuzando-se de óleo, as lâminas amarelas regadas pelos copos de cerveja.

O segundo tempo do jogo já começa e o homem retorna ao seu lugar no sofá. A volta ao jogo é como retomar atividades interrompidas, relações abandonadas, projetos adiados. É preciso reencontrar o ritmo que durante o primeiro tempo se buscou construir, mas isso não ocorre de maneira repentina. Para o espectador, o processo requer também um reordenamento das referências, a inversão dos campos das duas equipes gerando um deslocamento inicial. No entanto, esse tempo de remontagem das peças não dura muito, pois em breve a bola gira como um ser autônomo junto aos pés dos jogadores e as atenções convergem outra vez para a tela colorida e luminosa.

As camisetas brancas dos alemães movem-se como um conjunto, em movimentos precisos, calculados, arquitetônicos. Entre elas correm as roupas amarelas dos brasileiros, surpreendendo às vezes com um pequeno balé, o vaivém que confunde o adversário. Os minutos avançam com ataques sucessivos de ambas as partes, mas o gol não acontece e o letreiro registra zero a zero ao mesmo tempo em que o cronômetro corre números no canto da televisão.

Um dos homens comenta que não quer nem pensar se o jogo for para a prorrogação. Então, quando a expectativa já se cansa e os olhos se acomodam àquele movimento de idas e vindas pelo campo sem chegar a lugar nenhum, a bola é bloqueada pelo goleiro alemão que a acolhe como uma criança em seus braços, mas, em seguida, ela se rebela e salta de volta para trás, onde pés brasileiros a interceptam, recuam um pouco para depois ultrapassar o goleiro ainda perplexo, e bombardeiam a rede do gol.

Na sala, todos gritam e se abraçam, repetindo em espelho os vultos que pulam e comemoram na tela do televisor. Passa-se um instante em que a cidade ainda preserva a modorra da espera, mas, de repente, o lado de fora da casa é ocupado pelos estouros dos foguetes. Eles envolvem a sala dentro de um manto de sons, até que o homem levanta-se do sofá carregando dois rojões. O filho o segue de perto. Pede para segurar um dos foguetes, mas o pai manda que ele apenas observe.

Os foguetes sobem ruidosos, num arco de luz ofuscado pelo dia. O homem dá uma rápida olhada pela favela que se estende morro afora, vendo aqui e ali as pessoas deixando, por um instante, as casas e barracos para comemorar. Retorna à sala, pega mais uma cerveja na geladeira e concentra-se na partida que prossegue. O perigo agora é a possibilidade dos alemães aumentarem a pressão e igualarem outra vez o placar.

Pouco depois, um jogador brasileiro corre pela lateral do gramado, tocando a bola ao mesmo tempo em que parece protegê-la. A televisão o mostra bem de perto, parecendo prever o que acontecerá em seguida. O jogador chuta com força em direção ao meio do campo. Outro brasileiro posiciona-se de frente para ele e, por um momento, parece encarar a bola, decidindo qual destino lhe caberia. Mas, ao invés de recebê-la, vira-se de repente para o gol, deixa a bola girar por trás de suas pernas e abrigar-se nos pés do mesmo jogador que abrira o placar a favor do Brasil. Há na seqüência uma impressão de farsa teatral, como se brincassem com o adversário e o espectador, tirando ilusões de uma cartola inexistente. Quando menino, o homem no sofá via um circo montado na base da favela onde morava, bem no início de onde germinavam os prédios de classe média que ilhavam o morro, embora muitas vezes tenha pairado a dúvida sobre quem era a ilha e quem era o mar ao seu redor. Sua mãe não tinha dinheiro para pagar a entrada e o pai morrera muitos anos antes num tiroteio com a polícia. Mas os artistas do circo faziam, às vezes, rápidas demonstrações numa praça ali perto, divulgando os shows que aconteciam em matinês repletas de crianças que tinham dinheiro para pagar a entrada. Numa dessas ocasiões, ele viu o mágico e fascinou-lhe o movimento das mãos, os lenços e cartolas de onde germinavam coelhos e cartas, o mundo aparentando algo distinto do real. No dia seguinte, sua mãe desapareceu, saiu para trabalhar na casa de família onde fazia a faxina e nunca mais voltou. Uma vizinha o criou e o pôs logo cedo numa esquina para mendigar até que ele repetiu o gesto da mãe e também partiu para não mais retornar.

Após o novo gol, os fogos preenchem o céu de toda a cidade. Desta vez, o homem não se levanta, continua atento ao jogo, esperando que os brasileiros arremessem mais bolas contra o ninho rendado que pende das traves. Ganhem de três, quatro, cinco, precisamos de muitos motivos para comemorar, o homem pensa e bebe mais um copo de cerveja.

Por mais que os alemães ataquem, parece que o cronômetro no canto da tela da TV inverteu o seu ritmo. Ao invés dos minutos se estenderem, os números escorregando lentamente, após o segundo gol eles já se movem com esperteza, sucedendo-se rumo ao fim do jogo. Contudo, eles não param nos 45 minutos que regem o final de cada tempo, avançam para frente, recriando a sensação de um tempo que não prossegue, de ações que não acontecem. Alguém comenta que já se chegou aos 47 minutos. A mulher esclarece que o juiz está descontando o tempo parado durante o jogo e diz duvidar que os alemães marquem dois gols em poucos minutos. Um dos rapazes ri sozinho ao comentar sobre a semelhança entre o juiz e os monges de filmes de kung-fu.

Não demora muito e o vulto negro do juiz apita e encerra a partida. Na sala, as pessoas não olham mais para o televisor, com exceção do mais novo dos rapazes que ainda a observa com olhos fixos, os cotovelos apoiados nos joelhos, como se ainda não acreditasse na vitória. Os outros saem munidos com foguetes e rojões. O homem do sofá toma a dianteira e aponta um foguete para o alto. Enquanto a pequena explosão se junta ao mosaico de fogos que coalha o horizonte, ele vê três homens subindo o morro pelo beco que dá acesso à sua casa. Eles têm as roupas amassadas e há uma nódoa de sangue na camisa do primeiro.

É ele quem fala, um pouco ofegante:

— Perdemos o jogo.

— Não perdemos. A Alemanha perdeu — responde o homem que estivera no sofá.

— Tou dizendo que a gente, nós três num viu.
— Sei.
O homem com a roupa manchada de vermelho olha os outros e sorri:
— A gente perdeu o jogo. Mas pegou o cara.
— Ele falou?
— Não.
— Putz. Faz ele falar. Depois arrasta pelo morro pra todo mundo ver e acaba com a raça dele.

Um dos rapazes que estavam na sala durante o jogo pondera que os moradores da favela estão comemorando o jogo, mas se cala e abaixa os olhos quando o homem que se assentara no sofá o encara e diz que é bom ser assim, pois todo mundo saberá: os que não anda na linha não tem o que comemorar naquela favela.

— Sai daqui e acaba logo com isso — ele determina.

Os rapazes esperam um instante em silêncio, talvez para contestarem alguma coisa ou apenas para retomarem o fôlego, e voltam pelo mesmo beco de onde tinham saído.

Dentro da casa, o menino termina de urinar e vai deixando o minúsculo banheiro, mas volta atrás para olhar a pia, o filete de água novamente convertido em pingos intermitentes, os ruídos das gotas contra o aro de metal no fundo do bojo.

É estranho aquele gotejar assim tão estridente, como chuva em telhas de zinco, talvez o eco do banheiro, ou a imaginação dos que transitam ali dentro, ampliem o som além dos limites normais. Não há mais vestígio da água empoçada na pia e o registro da torneira foi recolocado por alguém em seu encaixe. O menino espera algum tempo, enfeitiçado pelos estalidos, mas enfim as bombas estourando lá fora o despertam para a festa da vitória.

Ele sai e estende um foguete para o pai. No céu, ainda faísca um turbilhão de fogos, véus de fumo dissolvendo-se na luz do sol. Um ritual que se repete em cada bairro, em cada cidade do país. O homem que se assentara no sofá pega um isqueiro e acende o foguete. E enquanto o canudo de papel jorra fagulhas e estrondos, grita bem alto:

— Brasil!

JOÃO PAULO CUENCA

Baile perfumado

Conto publicado na revista *Ficções*, nº 9, editora 7 Letras, em 2003, e, posteriormente, incorporado com mudanças ao romance *Corpo presente*, publicado pela editora Planeta em 2004.

Eu e meu amigo Jimmy Jazz resolvemos tomar algumas numa noite quente de março. O calor evaporava as poças do Baixo Gávea, pra você ver a falta de opção, e copos entornavam enquanto mulheres mal depiladas a 45 graus olhavam para a nossa mesa. Eu não agüento mais essa encheção de saco, sabe, Jazz? Aquele mesmo ramerrame e a gente é tão genial que ninguém nunca ouviu falar. E as mulheres continuam neuróticas. E a comida tá ficando cada vez pior lá em casa, meu caro. E a única âncora é o copo. O fundo do copo, lá em casa. Eu não sei se bebo porque tenho motivo, ou se eu invento motivo pra beber, isso não importa e talvez seja assim mesmo.

E quando você tem uma boa companhia, como Jimmy, o negócio degringola, especialmente naquela sexta-feira desesperada. E o papo vai pra muito longe. O garçom bebum já começa a trocar as pernas e eu juro que hoje eu passo o velho. E o porquê não tem explicação e é bom que assim seja e a gente pede mais um gim-tônica, Jazz. A fumaça sobe. Cada vez mais eu estou mais longe e em pouco tempo me olho no espelho do banheiro e não me reconheço, na verdade eu nem te conheço direito, meu caro, mas isso não importa mais. A pele caiu junto com a madrugada e eu me sinto novo e brilhante. Como o gelo que entra e sai da minha boca. Sim, mãe, é porcaria, mas eu não consigo não comer gelo. Lembra quando mordi um copo e você, mamãe, catou os caquinhos de vidro da minha boca? Hoje quem cata os pedaços, mãe? Eu continuo comendo gelo e mordendo copos.

Um moleque me desafia no jogo-da-velha. Mas eu não sei jogar essa porra, e o moleque não acredita, eu jogo e perco, mas eu não vou pagar. Sou péssimo perdedor, mãe, você sabe disso.

Como eu tava te falando, essa geração é estranha, Jazz. As mulheres têm vergonha de foder, a gente tem vergonha de publicar e eu não me lembro de ter visto alguém espontâneo nos últimos cem anos. Tirando eu e você, é claro. A porta vai fechando e tem sempre um chato querendo entrar no bar depois da hora. Eu não quero ficar mais aqui. Ainda tá cedo, onde eu vou depositar todo esse carisma?

Vamos pro baile.

Claro, já tínhamos falado nisso, estava agendado. Mas tinha que ser o baile raiz. Tinha que ser o baile da comunidade, essa popularização inversa estava manchando o movimento. A pior coisa que pode acontecer com qualquer estética é ser adotada pela classe média. Mas não é isso que a gente acaba querendo mesmo?

O ápice é antes, logo antes dessa adoção em massa. É ali que eu sempre quero estar. O povão tira o molho de qualquer coisa, meu caro. Note bem que é antes, não nunca. Ou seja, pouco me fodo pra quem não tem pretensão alguma. Ter banda só pra tocar em garagem e livro só pra mandar por e-mail não me importa. Isso é só uma etapa. Eu quero estar ali, antes da glória e na beira do precipício.

No caso do funk, eu e você, Jazz, nós somos o povão. E esses crioulos são lordes.

Pegamos um táxi esfumaçado. Pro morro do Pavão. O táxi rasgava o ar pesado da Nossa Senhora enquanto os postes se retorciam e eu não conseguia fixar o meu pensamento e o meu olhar em ponto algum. Mas hoje isso não significa nada de mau. Hoje eu sou capaz de cortar o asfalto com as unhas e comer todas as popozudas do ponto de ônibus. Hoje eu assôo meu cérebro e engatinho numa esquina suja de Copacabana.

"Daqui eu não passo", grunhiu o motorista.

Daqui a gente seguiu a pé.

E aí galera responsa do Pavão, tranqüilidade aê? Quem manda é nós, mané, é o lado A, nosso bonde tá dominando, só dá a gente. Agora esses playboy tão ouvindo funk e pensa que são funkeiro, eu quero que esses mané vão pro baile passar mal lá dentro. Quero ver encarar o bonde dos mete bala. Não tem sangue azul certo pra aturar a nova geração do C.V. Paz, justiça e liberdade, seus bando de féia da puta. Eu sô o Comandô e não sou comandado, se alguém chegar de gracinha, vai voltar furado! Glória senhor,

C.V.! Sem neurose, tranqüilidade total e proteção divina pra gente. A hora de vocês vai chegar, seus cu arrombado e seus amigos da autoridades fudidos. Alô, comunidade vibrante, bondê do 127, caçador de lado B. Bonde Hassan com Spring Love Gaiteiro com Homem Mau se junta isso tudo Cabo Frio quebra geral, nosso bonde é nervoso e ninguém pode acalmar quando a gente invade o zezinho pede pra parar... PARÔ.

Jazz, tu tá ligado que o baile tá bombando, as pepitas tão na área e nós vamo entraê nessa parada. Eu e você, dois mané com cara de judeu, eu de tênis adidas, você de camisa de botão. E nós se embrenha pelas viela, onde só tem chapa quente, só tem menor valente e a bala come de repente. Sem estado aqui. Sem papai ou mamãe. A gente entrou no universo deles, Jazz. Eles tão sempre por aí, nos bondês. Olhamos através dessa gente. Ninguém passa a fronteira. Falam de integração, mas ninguém passa a fronteira. Pra passar você tem que entender. E pra entender você tem que sentir o olhar. O olhar da velha na janela, o olhar da comunidade, o olhar do pixadão te encarando. Ele tá em casa. Você é um intruso, Jazz. Do mesmo jeito que eles são intrusos na nossa rua.

Pagamos o ingresso e de repente a gente some. Um pavilhão, enorme, e um desfile de tigrões, potrancas, tchutchucas, popozudas e pepitas. O som é ensurdecedor, não tenho capacidade de entender nada. Borrou tudo. Vamos subir pro segundo andar depois de comprar mais bebida e quanto tempo isso demorou? Eu juro que nunca senti tanto calor, Jazz. É calor visual e sonoro, é calor por todos os poros e eu suo em bicas. As calças da gang molhadas, aquelas neguinhas gostosas que eu nunca comi, esses putos podem tirar onda com a minha cara, eu sei. Elas desfilam de top, ou com umas blusas decotadas, as cachorras, as bandidas, as preparadas. Rebolando desenfreadamente. Ali pode tudo e eu vejo os crioulos lambendo as meninas, Jazz. É bonito de ver. Na escada, na pista. Na cabine de som.

No segundo andar o ambiente tá mais vazio e eu vejo uma porta. Lembra dos caras de fuzil patrulhando o baile? Eu estava perdido demais naquela noite pra começar a ter medo. A gente já tinha sumido, ali ninguém me acha mais. Se acontece alguma coisa eu evaporo. Eu passei a linha e eu posso não voltar, mas eu estou ocupado demais pra pensar nisso. Tem uma porta, ali, do outro lado. Na soleira, me perguntam: "preta ou branca". É um sonho, Jazz. Eu quero as duas e você me dá dinheiro, eu nunca carrego o suficiente. Entramos. O gerente pergunta se somos gringos. Não. A gente mora aqui mesmo em Copa, eu menti, não sei bem por quê. Ali dentro do quarto claro, mais gente armada. Um negão enorme empunhava dois tresoitões prateados. Olhos vermelhos. Eu vi aquele olhar de novo, mas já estava longe pra me preocupar.

Saímos com os saquinhos na mão. Um preto e um branco. Ali tinha pra nós dois, Jazz, e eu me lembrei que nunca tinha inalado a branca, mas acho que, se me dessem um pedaço de madeira pra lamber ali, eu lamberia. Nessa hora perdi você, não sei como (acho que você foi procurar seda). Fiquei com o saco de pó branco na mão.

Esbarrei numa cachorra do baile. "Bandida-762", de acordo com ela. Assim que eu pude olhar melhor, senti aquela contração típica entre as pernas. Porra, a mulher era tão gostosa que o meu caralho acordou imediatamente. Ela disse: "vem cá". E eu fui, segurando naquela cinturinha negra, com os olhos fixados naquele rabo maravilhoso. Rabo moldado à base de lordose, ladeira e feijão. Essas meninas não fazem academia e são mais gostosas do que qualquer mulher do asfalto, meu caro.

Na primeira oportunidade cheguei junto e a Bandida me deu o beijo mais lascivo da minha vida. Ela chupava minha língua como se chupa um pau e falava absurdos no meu ouvido, "vem cá, meu tigrão, pixadão gostoso". E puta merda, eu estava pra explodir enquanto o MC mandava bala na montagem. Como era fácil e gostoso estar ali.

Ela me puxou pela mão e entramos em uma espécie de mezanino de cimento ao ar livre. Eu não acreditei. Eu juro que de primeira eu não acreditei. Popozudas de todas as formas e tamanhos, algumas peladas, outras mais ou menos, fodendo e chupando uma miríade de paus negros e cabeçudos. Jazz, pra tudo quanto era canto era sacanagem. Uma suruba estelar. Você já viu aquele filme do Antonioni, Zabriskie Point? Pois é. Sabe aquela cena de amor onde rola uma suruba no deserto? Aquilo é ridículo. Isso aqui é arte, meu caro. Isso aqui manda essa geração de angustiados pra casa do caralho. Uma sinfonia visual de paus e bocetas. E elas trocam de parceiro rapidinho. Eu vi um crioulo foder mais mulheres do que toda a minha biografia em quinze minutos. A gente não existe perto desses caras, Jazz. Eles são heróis, eles são o mito.

A minha Bandida me levou pra uma parede. Nos beijamos e ela foi descendo até o meu zíper, que abriu com os dentes. Pegou o saco de pó do meu bolso, tirou um pouquinho e entupiu a minha glande de cocaína. A filha da puta cheirou e chupou a cocaína da cabeça do meu pau, Jazz. E eu já estava ficando trincado. Ela lambuzou mais o meu pau com o pó, virou de costas e me deu freneticamente. Eu temi pelo meu freio, mas eu queria mesmo era meter pressão, explodir e arrebentar a vagabunda. Nunca meti em ninguém assim, a mulher gritava, mas eu só ouvia o pancadão. Do nosso lado havia um trio e um casal fodendo loucamente, logo viram o pó e todo mundo veio perto. E logo a minha Bandida estava com um pau negro que devia ter pelo menos duas vezes o tamanho do meu no céu da boca. Gozei como um filho da puta.

Ainda fiquei dentro da Bandida por alguns segundos ou horas, eu não sei precisar. Me senti em casa. Ninguém ali sabe falar mais do que cem palavras. Ninguém ali tem as mesmas referências que nós temos. Mas eles sabem se divertir e aí eu estou bem. Sem pudores.

Foi ali que te encontrei de novo, Jazz. Era seu aquele pau circuncidado onde aquela menina cantava. Ela tinha uns 15 anos, seu merda.

Saí cambaleante. Não conseguia piscar os olhos, dentes batiam e o caralho doía. Tudo estava realmente confuso e naquela altura da manhã eu só podia pensar onde eu estava e era aqui mesmo que eu queria estar.

Aqui é a Paris dos anos 20. Aqui é a Nova Iorque dos anos 50. Eu me sinto como Kerouac, Ginsberg e Neal Cassady viajando pra San Francisco. Esses caras não sabem, mas eles são. Hedonismo, sexo livre, droga, música, letras e palavras. É aqui e agora, Jazz. Eu ainda estou sob efeito e as teclas me confundem. Mas é aqui, Rio de Janeiro, 2001, popozudas querendo meter, funk na área.

E a gente fazendo o que em casa, porra?

JOCA REINERS TERRON

A espera

ao Estrela, in memoriam

Do livro *Curva de rio sujo*, publicado
pela editora Planeta em 2004.

Toda noite é isto, à espera sob a luz pouca dos barracos.
Os rojões espocam no céu e então sabemos, é hora de
voltar pra fila.
E aqui aguardamos:
A boa vontade dos caras.
Sua destreza pra endolar a bráite nos papelotes da loteca.
A dor passar.
O brilho das AR-15.
A noite.
A polícia.

Vemos de tudo nesta fila.
Certa vez um de nós foi morto, mas permaneceu
esperando a vez.
No outro dia voltamos, lá estava ele.
O sol o desinfetou. Suas tatuagens brilhavam.
Um tiro na testa outro no pescoço:
as setas indicavam por onde passearam as balas.
Lindos buracos.
Acariciaram sua pele até a língua estarrecida
que me disse — A festa foi boa.
Numa ocasião de muito frio apesar do sol forte
vimos o exército de carne negra mudar a guarda.
Seus ossos brancos galgavam o Morro do Adeus —
o Vapor e seus soldados trazendo a carga.
Daí surgiu uma mulher de vassoura

na mão: "Cadê ele, cadê?"
E brandia a piaçava: "Se pegar, eu mato.
Já disse pra não mexer com droga!"
Suas ameaças desmantelaram a fila,
enquanto enveredava porta do buraco-quente
adentro. Saiu de lá com o filho seguro pela
orelha, "Não, mãe. Prometo não fazer mais isso."
Ele carregava um 38 na cintura.
Nosso frio aumentou —
o chefe, humilhado.

Depois disso, aguardamos por dias na fila.
Caiu um temporal no morro, mas não arredamos
pé. E víamos o Patrão desenxabido pelos cantos.
Mas só até a velha aparecer com a boca
cheia de barata no lixão.
Então o comércio voltou ao normal.
E ficamos por aqui, sob sol e chuva.
Observo o Patrão. Nunca mais riu.
Sua pele ficou mais escura, o olho
perdeu o viço.
Daqui conseguimos enxergar
o reflexo da lua no óleo da baía
ou os faróis dos ônibus saindo da Ilha do Fundão.
Também vemos as pessoas subirem e
descerem as escadas.
De manhã cedinho, pro trabalho.
À noite retornam, aí o morro se enche de luz
e samba.

E nessas noites me pergunto se num dia
seguinte desses ultrapassaremos de novo
os limites da Linha Vermelha,
até alcançarmos os braços abertos
de nossa redenção
e o sol lá da Zona Sul.

LUIS MARRA

Pipas

Do livro *O coletivo aleatório*, publicado
pela editora Hedra em 2001.

Cruzaram olhares pela primeira vez quando as pipas enroscaram uma na outra e um longo atalho separava dois corpos miúdos acenando no meio do vento.

No alto de um barranco, cabelos loiros bem apareciam em revoada de vento forte; embaixo, uma cabeleira escura rápida se arrastava sobre pés descalços, no meio de tetos de zinco.

* * *

A pipa que vinha do barranco era pequena: losango rosa sobre cruz de bambu, mais um rabicho acanhado. A outra pipa era grande: cara de gavião, rabo de galo, cores fortes.

O gavião sondou maneiro e desconfiado, fez rodopio ameaçador, avanços, recuos; depois se alongou pro alto, deixando pra trás o losango rosa, que farfalhou o celofane em desculpa tímida. Em seguida, o gavião olhou feio e bonito e fez o rumo do infinito. O losango rosa recolheu-se.

* * *

Dia de inverno ventoso azul. Ar limpo sem névoa permitindo avistar toda a verdura do Parque do Carmo. No alto do barranco, tinha quietude e vista larga sobre o Vale do Aricanduva, onde carros em procissão levantavam zunido misturado ao do vento.

* * *

A menina fazia diabruras de menino. Corria de parede a parede e assuntava com pivetes apinhados no alto do muro; depois passava carreando a linha do losango rosa, pronto a ser empinado.

Um dia a mãe agarrou seu braço antes que ela deslizasse os pés na descida do atalho. E foi logo apontando os perigos: barracos apinhados de bandidos, um malfeitor detrás de uma curva, uma mão presa na boca; o horror.

Depois voltou pro tanque esbravejando avisos, rodopiando espiadelas pra trás.

* * *

Os dois acabaram descobrindo a mensagem aérea na aproximação das linhas brancas se tocando no céu. O que não era proibido. E nem pecado. Pois até a mãe curvada no tanque sorria tranqüila, enquanto espiava o losango rosa levantar vôo tímido e desconfiado.

* * *

No outro dia, ele arrancou de galo, todo emplumado de vermelho amarelo lilás. A linha branca avivou solavancos safados e a pipa grande gingou tentando bicar o losango rosa. O losango rosa botou enfeite e ficou serelepe em rodopios ágeis, no que o vento zuniu forte e pareceu rir sibilando junto aos volteios do papel treme-treme.

* * *

Numa casa de tijolos, enquanto a mãe punha coisas em ordem, chegou o pai com terno surrado e colocou uma roupa de guerra. Ele terminava de pintar a casa toda de branco, ajudado por mutirão da igreja onde era pastor. Saiu depois para o culto, cruzando a vila espraiada num alto de terreno, acima de um cacho de tetos de zinco.

Quando ele voltou, a menina espiava pra baixo. Então o pai estufou o peito e falou chispando como na igreja.

— Se descer, é Satanás quem te cata. Volta mais não.

E foi dedurando o atalho: cacos, pontas enferrujadas, pneus velhos com água empoçada, um gato preto atrás de uma ratazana e até presunto de gente atirado no mato outro dia teve. Se bem que todo mundo de bico calado: apenas rumores no ar.

O pai botou mesmo terror. Mas a menina deu riso bonito e olhou pro dia de inverno ventoso azul. O pastor espalhou bênção e voltou às tintas brancas. Os meninos, na espia sobre o muro, assobiaram. E a menina pulou contente quando o losango rosa tremeu e foi ganhando o céu.

* * *

Ele era miúdo, tinha cabeleira preta e mancava. Vivia besuntado de sujeira, o rosto cinzento. Mas os olhos vermelhos faiscavam.

Sentia vergonha de ser coxo. Só que os outros não tocavam no assunto não. Na verdade, até botavam respeito por seu jeito jeitoso de fazer pipas, balões, estilingues e coisas mais. Pois ele sempre andava fuçando nos monturos de lixo e em restolhos de oficinas de desmanche, pra depois improvisar sua oficina em algum casebre abandonado ou toca no meio do barranco.

Fazia o diabo. De suas mãos nasciam as melhores pipas, tanto pra deslumbre no céu quanto pra rixa no ar. Por isso, os outros queriam seus aconselhamentos, mas ele chegava sempre com poucas palavras, meio sonhador, de olhar distante, desconfiado: punha mistério.

* * *

Ele era filho de criação de uma mulher idosa que muitas vezes, no final da tarde, ficava cansada de chamar o menino, os gritos se perdendo entre os tetos de zinco. Ela mal agüentava as pernas inchadas e o peso da idade, desistindo logo nos primeiros passos ligeiros. E quando brilhavam olhos vermelho-vivos no cair da noite, ela desembuchava o vozerio até perder a respiração.

— Fio do demônio que te boto no ôio da rua.

Vez por outra se preocupava não, e se abancava pitando diante das vizinhas conversadeiras, em volta do tanque coletivo, onde ela gostava de falar sobre a origem do menino.

— Pois ele foi feito lá no alto, e adespois jugaram ele de riba abaixo, que ele ficou endiabrado e mancando pelos caminhos deste mundo de Deus.

Às vezes sorria no esquecimento das zangas, para em seguida continuar pitando, baratinando pensamentos sobre o moleque de criação encontrado num monturo de lixo ao lado do atalho que sobe até a vila. Sabia lá Deus de onde tinha vindo: um demônio.

* * *

Cruzando olhares na distância, os dois começaram a ensaiar novos movimentos e aprenderam a falar nas puxadelas das linhas brancas, no que acabaram inventando um telégrafo.

Mas foram além, e os avanços e recuos botaram jeito de dança. O galo deixou de brigar e virou dançarino de terreiro, volteando o losango, brincando de dar bicada, encenando milongas coloridas, fazendo a corte no ar. E passava de galo a gavião, galo de novo, ou então tigre, touro, bichos outros. O losango rosa sempre mudava o tom em metamorfose pra rosa mais claro, carmim, vermelho vivo e na provocação do vermelho dava até escapadelas dançarinas de bumba-meu-boi.

Afinal entendiam-se, e era bom assim.

* * *

Num certo dia, o pastor chegou muito contente e disse a todos que em breve daria sermões numa igreja maior, no centro de Itaquera. Pena que a casa de tijolos já estivesse toda branca brilhando no alto do barranco. Mas, por outro lado, logo teriam casa melhor, por conta da igreja.

A mãe, quebrada sobre o tanque, sorriu com a notícia. A menina partiu para um canto amuada, em seguida choramingou e foi pisando atalho abaixo. A mãe despencou furiosa, arregaçando olho para um pé sangrante de caco de vidro.

Veio um tapa na boca; outro filete de sangue correndo; a punição.

* * *

No outro dia, depois que a mãe tinha pego uma tesoura e feito um corte novo, ela saiu carregando um losango rosa preso num rabicho de cabelos loiros. Logo mais, os meninos apinhados no alto do muro botaram olho gordo e assobiaram quando ela correu toda compenetrada para o barranco. A mãe na espia.

A menina, porém, ficou de pé na beirada do barranco, mirando longe e, com muito capricho, deu pinceladas vermelhas num rosto de celofane, que subiu crepitando no ar e ganhou o céu.

* * *

Eles cruzaram olhares de novo quando as pipas enroscaram uma na outra. Mas quando as puxadelas maneirosas de baixo telegrafaram acolhida, ela fez sinais, pegou uma faca e cortou a linha. Ele recolheu o rosto de papel e ficou assuntando.

* * *

Os olhos faiscantes do menino conheciam todos os atalhos da redondeza; a perna coxa já tinha se arrastado até bem próximo da casa branca no alto do barranco; a cabeleira preta e os pés de cascão mais de vez tinham pousado ao lado dos monturos de lixo; no entanto, a cabeleira preta apenas espiava de perto os cabelos loiros esvoaçando no vento forte, dava meia volta e arrastava a perna atalho abaixo. Na verdade, queria se mostrar não; preferia mesmo aparecer de galo, tigre, touro ou gavião. Nas alturas do céu azul infinito.

* * *

A mulher idosa quase toda semana arrastava as pernas inchadas por outro atalho que dava na Avenida Aricanduva. Bem de manhãzinha, subia esperançosa, vestindo a melhor roupa. Todos já sabiam que ela ia pro hospital e que retornava no fim da tarde, ofegante, com um resto de esperança ainda morando nos olhos.

Um dia não voltou e logo um vizinho espalhou a notícia no terreiro grande, onde as mulheres conversadeiras puseram outro tom na voz e muito falaram das voltas do destino e da vontade de Deus.

Naquele dia, quando o menino chegou todo encardido, emburrou e não disse palavra, sumindo logo pra ficar a noite toda entocado; que nem o povaréu compadecido e falador conseguiu encontrar a cabeleira preta, os gritos se perdendo no meio dos tetos de zinco.

* * *

Um tal de Joaquinzão montou venda na entrada da favela quando ali nem favela tinha: só um ponto estratégico à quase beira da Avenida, do lado de um terreno grande e da vila já plantada em cima do barranco. Mas depois o terreno foi sendo ocupado e os barracos terminaram se juntando a partir da venda. Foi quando Joaquinzão criou esperteza e mandou fazer alguns, que ia alugando pra famílias de retirantes recém-chegados.

Com o passar do tempo, a venda virou empório de mantimentos para a favela e lugar onde muita cachaça rolava. Também ponto de muamba, de assuntamentos perigosos, onde olheiros sabiam o que vinha na Avenida e corriam olhos e ouvidos no rumo das sirenas. Era quando pivetes mensageiros debandavam para dentro do monturo de barracos, tudo avisando. E os negócios caminhavam.

Joaquinzão era mesmo importante.

* * *

O povo já estava apinhado na frente do barraco, quando Joaquinzão comandou uma operação de limpeza. Saía coisarada de mão em mão, ele arrematando a maior parte. E quando o menino se acostou acabrunhado, o homem secou as palavras.

— Levo o que é meu de direito.

Tinha tempo que a mulher idosa não podia mais pagar os aluguéis. Quando arrastava as pernas inchadas atalho acima, soltava um sorriso amarelo pra Joaquinzão, que fazia resmungo enquanto derramava cachaça. Ela tinha até posto o menino pra ajudar na venda e servir de olheiro para outros serviços meio secretos, mas ele era por demais espevitado e sumia pra se entocar nas redondezas. Acabou Joaquinzão desistindo de reclamar, porém as dívidas foram rolando.

Agora, o homem queria a parte sua. E como tinha mais gente reclamando dívidas, terminou só ficando uma trouxinha embrulhada numa camiseta velha no chão de terra.

* * *

Naquela noite, os pivetes se encontraram pra cheirar cola. Ele permaneceu calado e os outros se agruparam em volta, esquentando num cacho vivo fungante. Depois, agradaram, ofereceram serviço bom de espia, mas ele nem ligou. Até mesmo um negrinho encostou a cabeça no seu ombro sussurrando troca; veio em seguida muita cola, mais um canivete velho; foi uma pipa pronta e um estilingue caprichado.

Terminou a cabeleira negra sumindo no meio da noite, enquanto os outros ficaram fungando num canto a pouca distância da Avenida, por onde passava uma ou outra sirena.

* * *

De manhã cedo, tinha muito vento forte e nuvens cinzentas e os meninos ficaram deslumbrados com a maior pipa já surgida na região. Ela era de todas as cores, tinha um pouco de galo, touro, tigre, bichos outros. E trazia uma mecha de cabelos pretos.

Quando subiu toda besuntada de cola e cuspe, um losango rosa também se elevou do alto do barranco. E os dois cruzaram novamente olhares na distância, enquanto a linha branca da pipa maior segurava uma face colorida no meio do ar. Foi naquele momento que o losango rosa enviou mensagem de despedida e ficou volteando a pipa gigante. Aí pingaram gotículas de garoa e a cola ficou com muita vontade de grudar. O losango rosa então girou inebriado, tremeu e deu um mergulho. Um abraço e ficaram grudados pra sempre.

Quando ele pegou um canivete velho e cortou o fio, ela fez o mesmo. Em seguida, o vento forte empurrou as duas pipas pra longe; depois, as nuvens cinzentas sumiram e pontas de azul desabrocharam. Lá vinha o sol.

* * *

Joaquinzão mostrou o caminho do barraco desocupado a uma família de retirantes, recém-mal-chegados num cacho de gente cansada. Assim que todos se acomodaram, puseram na porta uma trouxa e uma caixa de engraxate.

Depois, Joaquinzão fez que não viu quando o menino capengou atalho acima na direção da Avenida, a caixa de engraxate a tiracolo servindo de mochila.

* * *

Agora a praça é uma grande janela para a noite e a cola é um cheiro do infinito. Mas eles são duas pipas juntas que sobem no vento forte já conseguem avistar os barracos e a vila duas manchas café com leite o atalho um risco cortando um desenho e nem dá pra ver os montes de lixo e nem um gato atrás de um rato depois a verdura do Parque do Carmo com gente bastante apinhada na volta do lago bonita a Igreja do Carrão mas a da Penha que é maior fica avistando longe olhando o metrô sumindo nos arranha-céus grudados na névoa no silêncio depois muito mais pra cima mapa redondão azul vista dos astronautas o mundo da lua.

* * *

Os olhos vermelhos ramelentos faiscaram no meio de dobras de jornal, por onde escorriam, em manchas pretas, notícias da cidade grande e um pouco de calor.

Adiante, o vozerio do povo, o zumbido dos carros, o verde desbotado da Praça da República.

E, na Zona Leste, o sol ia nascendo.

Empinando.

Ganhando o céu.

São Paulo acordava.

LUIZ RUFFATO

Ciranda

Do livro *Histórias de remorsos e rancores*,
publicado pela editora Boitempo em 1998.

1 Zunga acorda zonzo, boca seca, estômago revirado, uma fogueira, dentro, ateada.

"Bibica! Ô Bibica!"

Ela se entremostra, na porta dos fundos.

"Chamou, Zunga?"

Despede-se de dona Conceição, entra no barraco ajeitando o cabelo cinza no lenço mal enjambrado.

"Acordou, meu filho?"

"Bibica, traz um copo d'água pra mim. Estou morrendo de sede."

Enche uma caneca de alumínio na bilha, ele bebe, sôfrego.

"Melhorou, meu filho? Você vomitou tanto ontem à noite! Não devia de beber desse jeito, vai acabar prejudicando sua saúde."

Ele se levanta lentamente, a cabeça roda, as pernas fraquejam.

"Deve de ser alguma coisa que eu comi."

"Alguma coisa que você comeu?"

"É. Chouriço... lingüiça... alguma coisa que não desceu bem... sei lá... Tem água na trempe?"

"Tem sim. Coloquei uma lata quentando... já deve de estar boa."

Enfia o dedo indicador na vasilha.

"Vai tomar banho agora?"

"Vou. Quantas horas, Bibica?"

"Deve de ser uma, uma e meia..."

Bibica leva a bacia de estanho para a casinha, despeja a água quente, vai temperando com água fria.

"Já está pronto, Zunga."

Ele entra no cômodo, tira a roupa.

"Quede a toalha, Bibica?"

"Está aí, meu filho, em cima do bojo."

Aquela camisa nova, volta-ao-mundo, está passada?"

"A rosa? Está sim. Vai sair com ela?"

"Vou."

"Então pode pôr a companheira dela, aquela calça de tergal preta... Quer que eu coloque em cima da cama? Está passadinha."

"Quero sim. E separa um par de meia."

"Que mal pergunte, meu filho, aonde você vai?"

"Por aí... Espairecer um pouco."

"E o almoço? Não vai comer nada? Tem uma taioba que está tinindo!"

"Agora não, mais tarde."

"Você não pode ficar assim, sem comer, Zunga..."

Ele cantarola um samba-canção.

Ela arruma a cama, estica a muda de roupa sobre o lençol.

"Zunga, então acho que vou aproveitar pra ir na Casa de Saúde com a dona Olga fazer uma visita. Tem um parente lá dela internado... uma ziquizira, parece..."

Ele pára de cantar.

"Bibica, deixa uns trocados aí pra mim."

"Ih, meu filho, dinheiro anda vasqueiro... Tem quase nada."

Ela confere se o Zunga continua na casinha, pega um bibelô em cima do guarda-roupa, tira as notas pacientemente enroladas, separa o tanto do aluguel, *Aonde vou esconder?*

"Só tem uma mixariazinha, hein, Zunga. Coloquei em cima da cama."

"Está bom, Bibica."

"Então, meu filho, até logo. Não volta tarde não, está bem?"

Ele termina o banho, enxuga-se, troca de roupa, limpa o sapato na colcha-de-retalhos que recobre a cama da Bibica e emplastra o cabelo de brilhantina. Enfia os trocados no bolso, *Mas isso não dá pra nada, ô velha muquirana, sô! Aonde ela enfiou o resto?* Vasculha os esconderijos conhecidos. Nada. *Ah, o bibelô!* Pega a única cadeira da casa, trepa no guarda-roupa: nada. *Desgraçada!* Procura debaixo dos colchões, nas gretas das paredes, até que descobre, dentro de uma lata velha de biscoito, em cima da prateleira engordurada, o rolo de dinheiro, *Ô velha fedaputa!*, escolhe algumas notas, *Não vai fazer falta*, conta, *Depois reponho, não vou gastar tudo mesmo, é pro caso de uma necessidade, uma precisão urgente*, desculpa-se.

Pendura a bicicleta no ombro, sobe as escadas do beco.

2 "Ô Zunga, ainda bem que você apareceu."

Seu Zé Pinto armou a mesa-de-metal no passeio, em frente ao botequim, para jogar umas partidas de buraco.

"O Zé Preguiça e o Zé Bundinha estão subindo. Senta aí, vamos fazer uma parceria."

"Não, seu Zé. Agora não. Já tenho compromisso já."

"E aonde você pensa que vai, assim, todo prosa?"

"Por aí, seu Zé, por aí... Arejar um pouco a cabeça."

Prende a tornozeleira na calça, ruma para o centro da cidade, pedalando devagar, malemolente dentro da tarde quente de março.

3 Encosta a bicicleta no meio-fio na Praça Rui Barbosa, em frente ao Bar Elite. Solta a tornozeleira, fecha o cadeado, tira o lenço do bolso de trás, enxuga o suor da testa, desamassa a roupa.

"Ô Zunga!"

"Ô cunhado, tudo bem? Arruma um copo d'água aí, vai. Que calor, nossa!"

"É, está quente mesmo."

Pega um palito, mastiga-o devagar, prazerosamente.

"Vida mansa, hein?"

"Que nada."

"Não vai no campo hoje?"

"Não."

"O Flamenguinho joga."

"Jogo mixo... Pelada... Já foi o tempo."

"Vai aonde?"

"Sei não. Cinema, talvez."

"Na matinê?"

"É."

"Eu, hein! Matinê!"

"Vou só pra dormir."

"Pra dormir? Por que você não dorme em casa?"

"Você especula, hein! Se desse... Rapaz, aquele beco é uma barulheira dos infernos. E os pernilongos? É um zunzunzum na orelha, que você não faz idéia... Ô cunhado, a conversa está boa, mas vou chegando. Dá uma olhada aí no camelo."

"Deixa comigo."

Zunga cruza diagonalmente a praça. Em frente ao Cine Edgard, uma ruidosa aglomeração. Três ou quatro moleques expõem pilhas de revistas, Zorro, Cavaleiro Negro, Combate, Tex, Tio Patinhas, Pato Donald, para troca. Zunga detém-se num banco, o palito dança entre dentes arruinados, observa a fila, devagar, se mover. Quando não resta mais ninguém, atravessa a rua, com preguiça, compra um ingresso, roda a borboleta, compra dois tubos de bala de goma, empurra a pesada cortina que separa a sala-de-projeção, caminha no tapete vermelho, na semi-escuridão caça um lugar vazio, as luzes se apagam, a música anuncia o Canal 100, a algazarra aumenta, o público vibra com um gol antigo do Botafogo no Maracanã, acomoda-se na última fileira, ao lado de um menino, respira profundamente. Suas mãos tremem, o coração dispara. Quando começa o trêiler, bate de leve no ombro do garoto, oferece uma bala, ele hesita, aceita. Zumbem seus ouvidos. Nos letreiros do filme principal, oferece outra, o menino sorri, agradecido. Ansioso, aguarda. O coração escoiceia, doido. **Tem mais aqui, ó**, sussurra, **Quer?** Amedrontado, o garoto titubeia. **Pega... pode pegar.** Abre a braguilha. Pousa levemente a mão na mão do menino, tenta conduzi-la até seu pinto enrijecido, ele se assusta. Zunga agarra-o, aperta-o contra seu peito, dá um chupão em seu pescoço, **Me larga!, me larga!**, solta-se, e dispara no meio de um intenso tiroteio na tela, deixando um rastro de balas. Zunga levanta-se, de supetão, cambaleia, *Ele vai me dedar pro gerente, meu deus, o quê que eu fui fazer?*, quase se arrasta entre as cadeiras, a cabeça dói, *Vai explodir, me ajudem pelo amor de deus*, os músculos fora de controle, as pernas já não sustentam o corpo, *Vou cair, santo deus, vou morrer*, o suor, em bicas, alaga o sobaco, inunda a testa, encharca os pés, escorre das mãos, *Vou morrer,* alcança o banheiro, desaba sob a pia, *Vou morrer.*

4 De volta à praça, depara-se com seu Marlindo torrando a primeira panelada de milho-alho.

"Tarde, seu Marlindo."

"Ô Zunga, boa tarde!"

"Já no batente?"

"É. Daqui a pouco a criançada sai da matinê."

Seu Marlindo despeja uma pazinha de pipoca nas mãos em concha do Zunga.

"É verdade, seu Marlindo, que o senhor bandeou pros lados dos crentes?"

"Graças a Deus, seu Zunga. Semana que vem vou ser batizado."

"Batizado? Uai... mas o senhor já não era?"

"Era, mas no catolicismo... No meu entendimento, não vale. O batismo tem de ser..."

"Mas não é pecado não?"

"Pecado, seu Zunga? Pecado é..."

"Vão jogar água na cabeça do senhor?"

"É... Mais ou menos... A cerimônia é no rio."

"No Pomba?"

"É. A gente entra na água e o pastor afunda a cabeça da gente, que nem João Batista fez com Jesus."

"Mas no Pomba?"

"É, ali perto da Ponte Nova."

"E o senhor sabe nadar?"

"Eu? Não, mas não precisa. É no raso, não tem perigo."

"Vai ser engraçado, seu Marlindo. Vocês vão sair de lá tudo colorido."

"Colorido?"

"É. O senhor nunca viu a tinta que sai lá da Industrial?"

"Já."

"Então, vocês vão sair da água tudo lambrecado. Afora o cheiro: ninguém vai conseguir ficar perto de vocês fedendo a bosta."

"Quê isso, seu Zunga!"

"Uai, seu Marlindo, estou falando alguma mentira? Todo mundo sabe que o Rio Pomba é isso: bosta, mijo e tinta. Nem os peixes agüentaram, seu Marlindo, nem os peixes!"

O homem tira o chapéu, coça a cabeça e coloca no fogareiro outra caçarola de milho-alho.

5 "Põe uma branca aí, ô cunhado."

"Já?"

Zunga joga um pouco de cachaça na calçada, "pro santo", e toma a primeira do dia.

"Põe outra."

"Outra?"

"É, rapaz, outra."

"Você tem dinheiro, Zunga?"

"Claro né, mané! Era só o que faltava, não ter nem pra pinga!"

"Foi ao cinema?"

"E aquela molecada deixa alguém dormir? Uma esculhambação dos diabos! Ô cunhado, me diz uma coisa: você também é crente?"

"Eu, hein! Sou católico, graças a Deus."

"Católico..."

E emborca a segunda do dia.

6 Zunga encosta a bicicleta no meio-fio, em frente ao botequim. Na mesa, contrariado, Zé Pinto faz parceria com o Presidente, que mora meio que de favor num quartinho perto da bomba d'água. Do outro lado, Zé Bundinha e Zé Preguiça lambem os beiços: estão lavando a égua.

"Ô Zunga, ainda bem que você voltou! Senta aqui no lugar dessa tralha", diz, dirigindo-se ao Presidente.

"Ô, seu Zé, tralha não, né?"

"Tralha sim, senhor. Você acredita que esse filho-da-mãe lixa tudo e aí quando você pensa que ele vai baixar uma limpinha, ele descarta uma canastra real? É um desgraçado!"

Presidente se levanta, encosta-se no balcão, chateado.

"Senta aí, Zunga. Vamos jogar uma mão."

"Tudo bem, seu Zé, mas não tenho um puto no bolso."

"Eu banco."

"O combustível também?"

"Ê Zunga, aí já é pedir demais..."

Zé Preguiça e Zé Bundinha riem, nervosos.

"Sem combustível, seu Zé, nem carro anda."

Seu Zé Pinto contabiliza perdas e ganhos. Zunga pressente a vitória.

"Duas por mão, seu Zé?"

"Duas?"

Zé Preguiça embaralha as cartas. Zunga esfrega as mãos: é pegar ou largar.

"Menino, põe uma pedralisa aí pro Zunga."

"Duas!", exulta.

Seis e meia, Zé Preguiça e Zé Bundinha descem o beco. Zunga, meio alto, mexe com o papagaio: assobia a introdução do Hino Nacional, o bicho imita.

Seu Zé Pinto permanece à mesa. Dispõe o baralho na toalha, corta, recolhe. Satisfeito, recuperou o prejuízo e ainda saiu com algum no bolso.

"Seu Zé, desse mato não sai cachorro?"

"Vem não, Zunga. Negócio é negócio: banquei o jogo e dei de lambuja duas pingas por mão."

"Eu sei, seu Zé, mas é que não almocei até agora."

"E eu com isso?"

"É que esqueci de devolver uma coisa pro senhor. Aqui ó."

E tira do bolso da calça um curinga sobressalente.

Seu Zé Pinto solta uma gargalhada.

"A Bibica não fez comida hoje não?"

"Fazer, fez. Mas sabe como é, né, seu Zé, dinheiro lá em casa é luxo. Comidinha assim, assim, um feijãozinho bichado, um arrozinho-de-terceira... mistura então, nem pensar..."

"Vai, vai."

"Um pãozinho com queijo e salame descia bem."

"Queijo e salame? Aí volto pro vermelho."

"Volta nada, seu Zé. O senhor sabe que comigo não tem deus-me-acuda."

Zé Pinto se levanta. "Ô menino, dá aí um pão com salame e queijo pro Zunga."

E, antes que o Zunga peça mais alguma coisa, entra em casa arrastando o chinelo de dedo, metade da camisa para fora da calça, sem corrião, parte da cueca aparecendo, os cabelos brancos desguedelhados, vai tirar uma pestana em frente à televisão.

"E uma cerveja, menino."

"Cerveja?"

"É, você não ouviu seu Zé Pinto falando? E anda logo antes que ele perca a paciência que já é nenhuma."

7 *Essa rapaziada de hoje é tudo broxa, Presidente. Esses cabeludos são tudo maconheiro e veado. Eu, com catorze anos, já tinha pegado gonorréia. Impressionante, Presidente, eu andava o dia inteiro de pau duro, um espetáculo! Cheguei a amigar com uma égua lá da chácara, abarrancava a senvergonha todo dia, ela rinchava de prazer, a danada. E, todo fim de semana, Ilha. A mulherada me sustentava só pra meter com elas. Era disputado a tapa. Tempo bom! Naquela época eu enfileirava o mulherio e mandava brasa. Era uma atrás da outra. Eu era endemoniado, Presidente, metia bronca, tinha o capeta no corpo, cruz-credo! Hoje está tudo mudado. A putama só deita com homem se em-antes ver a cor do dinheiro. Uma esbórnia! Mas até hoje eu vou lá, você sabe, descabaço mesmo, porque comigo é assim: escreveu não leu, o pau comeu. O Zunga não é mole, não, meu chapa!, é pedra-noventa!*

8 Zunga esvazia a garrafa de cerveja, paga uma pinga, já está embriagado. Senta no selim da bicicleta e pedala sem pressa em direção à Ilha.

"Ô Murrudo!"

"Minha nossa, Zunga!, madrugou hoje?"

"Pois é, vim dar uma sapeada."

O salão aguarda a noite longa. As lâmpadas envoltas em papel celofane vermelho estão acesas, um plástico ordinário cobre as mesas, a vitrola ligada embala o fim de tarde. Murrudo, com um pano imundo, limpa o balcão sebento.

"Põe um rabo-de-galo aí pra mim, Murrudo."

"Dinheiro na mão, Zunga."

"Quê isso, compadre? Está me estranhando?"

"Dinheiro na mão."

Zunga deposita uma nota sobre a madeira.

"Quente hoje, né?"

"Quente."

Zunga toma um gole.

"E as meninas?"

"Quê que tem as meninas?"

"Tudo azul?"

"Tudo."

Sorve outro gole.

"E a... a Cidinha?"

"Quê que tem ela?"

"Está boa?"

"Deve de estar, sei lá... não fico cuidando da vida dos outros..."

Zunga olha por sobre os ombros do Murrudo e descobre, num pequeno nicho iluminado por uma luzinha azul, perto da caixa registradora, uma imagem de Nossa Senhora Aparecida.

"Murrudo..."

"Quê?"

"De quem é esta Nossa Senhora Aparecida?"

"Da dona Janice."

"Ela é devota?"

"Quê?"

"Ela é devota de Nossa Senhora Aparecida?"

"E eu lá sei!"

Zunga toma o último gole, limpa os lábios com a manga da camisa.

"E você?"

"Quê que tem eu?"

"Você é devoto de algum santo?"

"Ê Zunga, você está a fim de me azucrinar hoje, hein! Pelo amor de deus! Eu te conheço, safado, vem com essa conversinha mole, com essas filosofias... Já vi que hoje vou ter trabalho..."

"Quê isso, Murrudo, estou de sacanagem. Devoto... Você acreditou que eu estava falando sério? Ah, ah, ah! Você é muito tonto, Murrudo. Ah, ah, ah!"

Cidinha e Baianinha chegam.

"Ih, quanto mais eu rezo, mais fantasma aparece", diz Baianinha, brincando.

"Oi Baianinha. Oi Cidinha."

"Oi."

"E aí, Cidinha, quer tomar alguma coisa?"

"Você paga?"

"Claro, papai aqui está montado na grana."

"Onde você arrumou dinheiro?"

"Ué? E eu não trabalho?"

"Deixa estar que eu acredito."

"O que você vai querer?"

"Um são-rafael, pode ser?"

"Claro. Murrudo, um são-rafael e uma batidinha de limão."

"Dinheiro na mão, Zunga."

Ajeita-se na cadeira.

"Cidinha... preciso te falar... aconteceu... aconteceu de novo..."

"O quê?"

"Aquele troço."

"Que troço? Desembucha, homem!"

"Aquilo que te falei... lembra? Aquela dor de cabeça... eu estou num lugar... apaga tudo... uma coisa esquisita..."

"E aí?"

"Sei lá... acho que não duro muito mais não..."

Cidinha bate com os nós dos dedos na madeira.

"Conversa, Zunga! Vai morrer o quê! Vaso ruim não quebra."

"Não quebra? Deixa estar... foi no cinema..."

"No cinema?"

"É... na matinê..."

"Na matinê? O que você foi fazer na matinê?"

"Sei lá... quer dizer, queria descansar... dormir um pouco..."

"Que conversa!"

"Cidinha, me ajuda, não sei o que acontece comigo... é sério... De repente, me dá uma doideira... eu estava lá no escuro... aí... aí me deu uma vontade de... eu..."

"Vontade de quê?"

"De... ah, deixa pra lá..."

Calam-se. Baianinha dança sozinha no meio do salão. Murrudo espana a poeira das garrafas. Zunga observa um mosquito que insiste em pousar na borda do copo. Cidinha, enfarada, *Vai começar tudo de novo, meu Deus!*

9 Estava sentado na cama, acabara de acordar, Bibica no quintal batendo roupa, um rádio ligado na vizinhança, conversas sem sentido no barraco parede-e-meia. Entreabriu a porta, o Luzimar, filho do seu Marlindo, estava de cócoras enchendo um caminhãozinho de areia, Ô, menino!, psiu!, quer ganhar uma casadinha? Não? E um canudo? Por quê? A professora disse que doce dá panelão nos dentes? É? Então... então... uma brovidade! Brovidade, quer? Brovidade pode, não é mesmo? Então? Quer? Vem aqui, aqui dentro. Espera aí. Senta no meu colo, isso!, fica sentadinho assim. Cadê a brovidade? Já vai, peraí, fica quietinho, assim, bem quietinho, assim. Tentou dar um beijo na boca do menino, ele se desvencilhou, saiu correndo, assustado. Zunga levanta-se, de supetão, cambaleia. *Ele vai falar pro seu Marlindo, meu deus, o quê que eu fui fazer!*, a cabeça dói, *Vai explodir, vai explodir, me ajude, Bibica, pelo amor de deus,* os músculos fora de controle, as pernas já não sustentam o corpo, *Vou cair, santo deus, vou morrer,* o suor, em bicas, alaga o sobaco, inunda a testa, encharca os pés, escorre das mãos, *Vou morrer,* deita-se na cama, *Ai meu deus, ele vai falar, um rolo danado, meu deus, vou morrer.*

10 *Vai começar tudo de novo, meu Deus,* Cidinha pensa.

"Estou com medo, Cidinha... Queria ser uma pessoa normal... trabalhar na fábrica como todo mundo... ter uma família... domingo ir pro campo ver jogo, ir na missa, entende? Vamos casar, Cidinha? Eu mudo de vida. Amanhã mesmo acordo cedinho, vou na Manufatora fazer ficha, depois na Industrial, na Saco-Têxtil, na Irmãos Prata, você vai ver... de um lugar acaba saindo uma colocação... aí eu te tiro daqui... a gente casa, de papel passado e tudo, que comigo não tem esse troço de amigar não, é tudo preto no branco... a gente compra um terreninho, levanta as paredes... hein? não vai ser uma beleza?"

"Põe os pés no chão, Zunga!"

"Você não acredita?"

"Não, Zunga. Se ainda fosse a primeira vez que eu ouço isso..."

"Mas agora é diferente. Vou parar de beber... Vou até virar crente... Sabe como é o batizado lá deles?"

"Já estou de saco cheio disso tudo, Zunga! Você fica empatando o meu tempo, acabo não ganhando nada, dona Janice já veio até reclamar. E com razão."

"Ah é?, pois então vamos calar a boca dessa puta velha. Murrudo! Ô Murrudo!"

"Pára, Zunga, deixa de fazer escândalo!"

"Então vamos pro seu quarto."

Levanta-se, arrasta Cidinha, ela abre a porta, Zunga entra, joga-se sobre a cama estreita, o cheiro forte de outras noites, investiga os caibros, a cabeça roda, *Tem uma telha quebrada ali, quando chove deve de ser uma cachoeira aqui dentro.*

"Não é não?"

"Não é não o quê?"

"Uma cachoeira aqui dentro?"

"O quê?"

Zunga vira-se para o canto da parede, parece dormir. Cidinha aproxima-se, encosta levemente a ponta dos dedos em seu ombro, **Zunga!**, **Zunga!**, alguém chama, tão longe... *Quem está lá fora, Bibica? É a polícia!* Pula da cama, fora de si, olhos vermelhos esbugalhados, arranca a gaveta da mesinha-de-cabeceira, **A polícia!**, **A polícia!**, abre a porta do guarda-roupa, rasga os retratos de atores de cinema e cantores que Cidinha cuidadosamente recortava de revistas para forrar as paredes internas do móvel, joga os cabides no chão.

Cidinha tenta intervir, **Pára com isso!**, **Zunga, Pára!**, ele agarra seu pescoço, tenta esganá-la.

"Filha-da-puta, foi você que chamou a polícia! Aonde você escondeu eles, hein? Aonde?"

Atira-a contra a parede.

"Socorro! O Zunga ficou doido! Socorro!"

Ele procura debaixo da cama, encontra um toco de vela.

Murrudo esmurra a porta.

"Cidinha, abre aí! O quê que está acontecendo?"

"Desgraçada!, está fazendo trabalho contra mim! Eu sabia!, eu sabia!"

Zunga acerta um chute nas costas de Cidinha. Com o travesseiro, tenta sufocá-la.

"Zunga, abre, senão vou derrubar essa porra!", ameaça Murrudo.

Cidinha se solta, tenta se proteger com o colchão.

"Ele quer me matar, Murrudo, me ajuda pelo amor de deus!"

Murrudo força a porta, uma **Porco fedorento, deixa eu te encostar a mão!, seu filho-da-puta, vou te arrebentar, filho-da-puta!**, duas *É a polícia, estão tentando arrombar, olha ali, minha nossa senhora!*, três, a tramela se rompe, Murrudo prende Zunga numa chave-de-braço, arremessa-o para fora, ele se levanta, cai, foge a galope, **É a polícia, gente, estão querendo me prender, não deixa, segura eles**, pega a bicicleta, tenta se equilibrar, toma um tombo, corre em direção à ponte de madeira que separa a ilha da rua.

Baianinha luta para estancar o sangue que escorre do nariz da Cidinha. Murrudo, mãos nas cadeiras, observa a bagunça do cômodo.

"Que fuzuê, hein!", diz Valdira.

Cidinha: "A culpa é minha, Murrudo. Eu já devia de saber. Não é a primeira vez que isso acontece."

Baianinha: "O Zunga não está batendo bem da cabeça não."

Valdira: "Ainda mais agora que ele ficou broxa."

Murrudo: "O problema dele é a cachaça."

Cidinha: "Será que ele não corre o risco de cair no braço-do-rio não, Murrudo?"

Murrudo: "Preocupa não. Ele conhece o caminho. De cor e salteado."

LYGIA FAGUNDES TELLES

O X do problema

Do livro *Seminário dos Ratos,* publicado
pela editora José Olympio em 1977.

Em cima da pilha dos jornais, a imagem da tevê ficou pior ainda. César começou a sacudir o aparelho, porra, queria encontrar agora o Silésio pra enfiar esta droga no rabo dele, droga, droga! Na véspera, dera um murro na caixa e a cara do Kojak, multiplicada por seis, reduziu-se a quatro, mas hoje não podia se arriscar, o farmacêutico tinha acabado de responder sobre as cobras, mais um pouco e chegaria a vez do Aryosvaldo, olha só as faixas se abrindo, beleza de auditório, meu Deus, tinha faixa à beça, até bandeiras, todo mundo torcendo, estamos contigo, Aryosvaldo! Estamos aí!...

— E esta droga! não enxergo nada, o que é isso? É ele entrando, Clorinda? É o Ary? Este daqui não é ele?

— Qual, este? Ih, tá ruim demais, espera... parece que é o anúncio, não é o anúncio? Mexe no som, César, não estou escutando o que ele diz, vai ver, entrou água na caixa, ela estava no fogão quando a enxurrada engrossou. E amanhã vai chover mais, viu? o moço aí do jornal já falou. Mais água, minha mãe, esta casa já tá podre, olha o fedor, não se agüenta mais de tanto fedor. Vira a antena, César, não, assim não, pirou! Pronto, embaralhou tudo, agora sim, me representa até que o próprio diabo entrou aí, sacode!

— Desliga e liga de novo, pai — disse Duda.

César obedeceu, puxando a antena para os lados num giro desvairado, e assim? Melhorou? Empurrou-a para dentro, trouxe-a para fora num arranco e, de repente, ficou com a antena na mão. Atirou-a longe, puta-que-pariu, justo hoje, mas tinha que ser hoje? Deu socos na cabeça, chutou o cachorro, que saiu ganindo, e parou diante do vídeo. Ajoelhou-se e humildemente recomeçou o toque nos botões com gestos suaves de arrombador de cofre tentando nas pontas dos dedos desvendar o segredo. O suor começou a escorrer da sua testa crispada. Em preto-e-branco a imagem também escorria empastada, as silhuetas se derretendo como cera no fogo, o líquido se fazendo gasoso na composição e decomposição das imagens — mágica lição de que nada se perde, tudo se transforma por entre os estalidos da máquina metalizando vozes e risos, fragmentados em pequenas explosões.

— É só acontecer alguma coisa e esta pamonha já fica fodida, no dia do jogo, lembra? foi igual. Na horinha do gol sumia rede, bola, parece que tem um olho escondido aí pra saber o pedaço que a gente se interessa e pronto, some tudo. Ainda taco esta merda no rio!

— E subiu, mais, viu, César? O rio. O moço do jornal já avisou que vai ser que nem no domingo, o céu já tá preto, esta parede aqui num vai agüentar. Que barulho é esse? A chuva?

— Cala a boca, Clorinda. Besteira, esse cara saca demais, o pior já passou. Tudo bem. A mulher da previdência prometeu ajudar, ela falou com você, não falou? Então, tudo bem, queria agora era aquele raio de gato pra sentar aqui em cima, quando ele senta aí, melhora, cadê o gato?

— Ontem teve carne lá na Mercedes, vai ver, cozinharam ele — disse Clorinda, voltando lentamente o olhar para o teto. — É a chuva?

— Melhorou um pouco? Ô! Cristo, me conformava se ao menos pudesse escutar — suspirou César, esfregando na palma da mão a cara lustrosa.

— Lembra aquela história do colar de brilhante, Duda? O Imperador pediu pra Marquesa devolver o colar, não pediu? Não foi isso, Duda? ele pediu o colar, não pediu? Responde!

Duda abriu a braguilha. Começou a se coçar.

— O colar ou uma coroa, agora não sei. O Mário da Nena disse que esse programa é tudo marmelada, que foi combinado pergunta e resposta, ele conhece o Aryosvaldo, disse que é um cabeleireiro fajuto que sabe dessa Marquesa de Santos tanto quanto a gente.

— Fajuto é ele. Cafetão besta, tudo inveja. Inveja. Vocês vão ver hoje que beleza, vai pro milhão a aposta, porra. E Ary pega fácil esse milhão, você viu da outra vez? A turma quer embrulhar mas ele entope a boca desses porqueras, tudo baixo astral...

— Espera, pai, o que é isso aí? Foi ele que chegou?

— Confusão desgraçada, menino, olha só, acho que é ele, este aqui de branco, não é ele? A gente tem que adivinhar, porra, não é anúncio?

— De cigarro, conheço pela musiquinha, esta coisa é um barco, o cara está num barco, fumando. A Circe fuma essa marca, aquela vacona. A Creuza também, tudo o que a Circe faz ela faz igual.

— Quase morreu de tanto apanhar — disse Clorinda, puxando o cachorro para perto dela e do filho encarapitado no rolo de colchões. — Adiantou?

A peste continuava igualzinha, não demorava e ficava que nem a irmã, perdida de doença e com uma barrigada por ano, era só o trabalho de desencher e já enchia de novo. Feito o rio.

— E agora? Não é ele? — gritou César. Torceu os botões, mas não era pra endoidar? O Aryosvaldo já dando a resposta e essa zoada, se o som ao menos melhorasse, porra, se...

— Ele acertou, pai, todo mundo bateu palma! Inteirinho de branco, um dia também vou ter uma roupa assim.

— Olha a beleza de auditório cheio das madames, tudo torcendo feito louco, uma puta enchente e ele sem orgulho, sem nada, te agüenta, Ary! Te agüenta, nego, estamos aí!

— Acho tão lindo o cabelo dele — disse Clorinda, apanhando um punhado de palha enegrecida que escapava de um buraco do colchão. Foi apalpando meio ao acaso até achar um buraco maior onde enfiou a palha. Enxugou a mão na saia. Concentrou-se: — É a chuva?

— Essa também ele sabe, olha lá a torcida, escutei falar em jóia, acertou, acertou!

— A velha que apareceu é a mãe dele, veio todo mundo do norte porque diz que hoje é o último dia — murmurou Clorinda, espiando debaixo do guarda-louça. Pensava em outra coisa. — O programa vai acabar, Duda?

— Acabar, nada, esse programa não acaba, sai o Aryosvaldo e no sábado já entra um que sabe tudo do Pelé. O Mário da Nena diz que é marmelada.

— Essa ele não sabe? Olha lá — gritou César. Correu para pegar a antena no meio da poça d'água, introduziu-a no furo da caixa e recomeçou o movimento desvairado. — Ele não sabe? Responde, Ary, responde! Estamos contigo, porra!

A mão de Duda se imobilizou no fundo da braguilha.

— Ih, engrossou, olha o sambinha tocando, quando começa é porque ele não sabe, *aí é que está... ta-ra-ra-ra! O X do problema!*

— Ah, coitado, me dá um nervo — gemeu Clorinda, voltando a espiar debaixo do guarda-louça. — Fedor desgraçado, acho que essa lama veio do inferno.

César ficou de pé.

— Responde, Ary, responde! Vai em frente, fala! Mas por que ele não fala? fala, nego, fala!

— Acho que ele não sabe, coitado.

Duda começou a se coçar com mais força. A mão livre quis abraçar o cachorro que se esgueirou ligeiro. Cantou aos gritos:

— *Aí é que está o X do problema!...*

— Ele não falou, Duda? Não falou?

— Escutei uma coisa de jóia, parece que ele tá falando numa jóia que ela usava, brinco...

— Mas tinha jóia essa Marquesa.

— Respondeu, respondeu! — gritou César dando um murro no aparelho que apagou e reacendeu em seguida, então ele acertou? Recuou de punhos cerrados, golpeando o ar, acertou sim, olha só a gritaria, beleza de nego, beleza, estão levando ele no ombro! Que carnaval, porra, estamos contigo, Ary! Estamos contigo!

— Essa daí que começou a chorar é a mulher dele, coitada. Uma choradeira — murmurou Clorinda, enxugando os olhos na saia.

— Eu sabia — disse César, deixando-se cair no rolo de colchões. Tremia inteiro, o olhar úmido. Eu não disse? Eu sabia, repetiu, rindo baixinho, um riso difícil, quase como um soluço: um milhão, porra. Um milhão.

— Todo mundo chorando, que festa! A Circe tem esse disco. *Aí é que está... ta-ra-ra-ra! O X do problema!*

— Ninguém segura!... Olha só, carregado no ombro, beleza de vitória, ô! Ary, vai que você merece! E esse besta falando, que é que ele tá falando agora, vai lá depressa segurar o nego, cala essa boca!

— Tem um rato aqui embaixo, estou vendo o olhinho dele.

— Um milhão. Se a Ponte Preta ganha amanhã, já pensou?

— Tudo foi na enxurrada, até o coitadinho do Nando, mas esses desgramados ficam. E ainda me olha, a peste — gritou ela, batendo com um pedaço de pau no guarda-louça. Ficou quieta, ouvindo: — Que é isso? A chuva?

— Diz que vai ter agora um cara falando de Pelé, mas quem quer Pelé? Pelé está velho, eu queria o Zico, Zico, Zico!

— Vou forrar o peito, que mereço, porra.

— É a chuva, César? É a chuva?

Ele abriu a porta. Enfiou as mãos nos bolsos, o queixo nítido de vencedor.

— Um chuvisco de nada, não esquenta não, tudo bem, amanhã vai fazer um puta de um sol.

MARÇAL AQUINO

Balaio

Do livro *Faroestes*, publicado pela
editora Ciência do Acidente em 2002.

Apareceram dois caras estranhos no bairro, tirando informação sobre o Tiãozinho. O pessoal se fechou. Não demorou e vieram falar comigo, sabiam que eu tinha andado com o Tiãozinho muito tempo.

O começo foi manso. Eu estava jogando balaio com uns chegados, quando os dois entraram no bar. Balaio é um tipo de truco que inventamos, mais agressivo, que dava ao vencedor o direito de ser o primeiro a atirar no próximo sujeito que a gente fosse derrubar. Eles me chamaram de lado, abriram cervejas. Sentei com eles. Explicaram que a ficha do Tiãozinho era encomenda de um grandão da zona norte. Não sabiam o motivo.

Eu disse que assim ficava difícil.

Um deles comentou que talvez o grandão quisesse as informações para decidir algo positivo em favor do Tiãozinho. Tinha a pele cor de pastel cru. Parecia uma dessas pessoas que nunca comem carne.

O outro era preto. Três rugas no rosto: duas quando ria, ao redor da boca; a outra aparecia na testa, na hora em que ficava sério. Impossível saber a idade dele.

O branco prosseguiu aventando: Quem sabe o Tiãozinho não está pra assumir uma posição importante com o homem?

O preto emendou: É, e se ele estiver pra casar com a filha do homem? O Tiãozinho não seria capaz de um negócio desses?

O grandão é bicha?, eu perguntei.

O preto: Não, claro que não.

E o outro: Por quê?

Porque o Tiãozinho é capaz de qualquer coisa, eu disse. Inclusive de estar casando com esse grandão aí.

Os dois riram. O que foi bom: vi que o pessoal, que continuava firme no jogo, deu uma relaxada. Perceberam que era conversa amistosa.

Essa é boa, o branco ainda ria. E o que mais você pode contar sobre ele?

Mais nada, eu falei. Me digam o motivo ou então a gente pode mudar de assunto.

Eles se olharam, contrariados. O branco pareceu sentir mais o golpe. Era aquele tipo de homem que adora ser contrariado — em casa, no trabalho, no trânsito, em todo lugar. Só para poder explodir.

Foi ele quem falou, se controlando: Bom, então acho que temos um problema aqui. Um problemão.

O preto tentou amaciar, a ruga atravessada na testa: Você podia facilitar as coisas pra todo mundo. Veja bem: temos ordem até de pagar pelas informações, se for preciso.

Batuquei com as unhas no copo de cerveja. Fazia muito tempo que eu não via o Tiãozinho. A última notícia era que ele andava amigado com uma dona asmática, que ele quase matava todas as noites, porque nunca sabia se ela estava gozando ou tendo uma crise de falta de ar.

Os dois esperaram, achando que eu considerava o lance do dinheiro. Mesmo jogando no campo do adversário, pareciam seguros. Era uma noite fria e ambos vestiam casacos. Dava para adivinhar que estavam armados. Com coisa pesada.

Acho que vocês deviam dar outra volta pelo bairro, eu disse. Talvez apareça alguém disposto a vender alguma informação.

Você está complicando um negócio simples, falou o branco. Em vez disso, podia ganhar um bom dinheiro.

Vamos fazer o seguinte, eu disse e me curvei, apoiando os cotovelos na mesa. Vocês descobrem por que esse grandão quer as informações sobre o Tiãozinho e voltam aqui pra me contar. Aí eu falo de graça, que tal?

Tenho uma proposta melhor, o branco colocou sal no *meu* copo e mexeu com o dedo. Você vai com a gente e conversa direto com o homem lá na zona norte. Eu prometo que depois a gente traz você de volta direitinho.

Eu ri: Não vai dar. Eu odeio sair do bairro.

Você vai com a gente, o preto disse e tirou as mãos de cima da mesa.

Foi um gesto rápido, muito rápido. Se tivéssemos gente assim do nosso lado, eu pensei, nossa vida ia ser bem menos complicada. Olhei para ele com atenção e me descuidei do outro. E era exatamente o que esperavam que eu fizesse.

Percebi isso quando o branco se mexeu, a mão sob a mesa, e falou: Tenho uma 45 apontada para a sua barriga. Não tem jeito de errar.

O Tiãozinho deve estar metido em algum rolo muito grande, eu disse. Ou então vocês dois são meio malucos.

As mãos do preto continuavam debaixo da mesa. Na certa, com duas armas também apontadas para mim.

Nós vamos sair daqui bem devagar, o branco anunciou. Você vai na frente, com muita calma, e é bom não fazer nenhuma besteira.

Eu permanecia apoiado na mesa e não me mexi. Disse a eles que bastava eu tossir para que aquele pessoal todo puxasse as armas.

Vou levar um monte de gente comigo, o preto disse. E você será o primeiro.

Uma vez, quando era mais novo, vi um sujeito abrir caminho à bala num puteiro cercado pela polícia. Foi a única vez que vi alguém atirando com duas armas ao mesmo tempo. O cara tem que ser muito bom pra fazer isso. Aquele sujeito era e conseguiu furar o cerco.

Vou pedir a conta, o branco avisou. Daí, a gente vai sair na boa, combinado?

Eu endireitei o corpo, mantendo as mãos sobre a mesa. O preto acompanhou meus movimentos com atenção. Ouvi o ruído quando ele puxou o cão dos revólveres.

Você tá armado?, ele perguntou.

Estou, eu menti.

Atendendo ao aceno do branco, Josué veio até a mesa e informou o valor da conta, satisfeito. As mãos do branco reapareceram, segurando uma carteira marrom. Enquanto ele escolhia as notas, olhei para Josué, que sorriu para mim.

Era um bom sujeito, costumava ajudar muita gente da comunidade. Às vezes, quando nossos jogos avançavam até tarde da noite, Josué ia para casa e deixava a chave, recomendando apenas que a gente não esquecesse as luzes acesas ao sair. Eu gostava dele. Lamentei que as coisas se complicassem justo no seu bar.

E elas se complicaram mesmo. Mas não do jeito que eu esperava.

A viatura estacionou na porta do bar e os quatro policiais entraram, olhando primeiro para o pessoal que jogava balaio e depois para a mesa em que a gente estava. Três deles usavam sobretudo e carregavam escopetas. No comando, um tenente que eu conhecia de vista. Gente boa.

Ele interrompeu o jogo e mandou que todo mundo se colocasse com as mãos na parede. Pensei que o tempo ia fechar: ali dentro tinha mais armas do que na vitrine das lojas de caça do centro. Os rapazes obedeceram, movendo-se com lentidão. Estavam esperando algo. Uma fagulha.

Quando o tenente se dirigiu a nós, eu me levantei da mesa e me juntei aos meus companheiros. O branco e o preto não se mexeram. Ambos estavam com apenas uma das mãos sobre a mesa. O tenente achou aquilo curioso e avaliou a situação por alguns instantes. Um dos policiais afastou-se em direção à porta, procurando um ângulo mais favorável.

Gostei da cena. Claro que armamento grosso serve para dar confiança a um sujeito. Mas eu nunca tinha visto caras tão frios como aqueles dois. E pelo jeito nem o tenente, que recuou lateralmente e colocou a mão no coldre.

Josué sorriu para ele e disse: Não precisa nada disso, tenente. Conheço todo mundo, é gente daqui do bairro.

O tenente cuspiu o chiclete que mascava e perguntou: E esses dois?

Conheço eles também, tenente, Josué falou. São amigos.

O preto mantinha a vista baixa, evitando encarar o tenente. O branco olhava para lugar nenhum. Ia explodir a qualquer momento.

O tenente ainda analisou os dois por mais alguns segundos. E então relaxou.

Você tem visto o Tiãozinho?, ele perguntou a Josué.

Tem tempo que ele não dá as caras por estas bandas, Josué disse. Deve estar circulando em outra área. Ele aprontou alguma?

Estamos na captura dele, o tenente fez um gesto para os policiais e eles baixaram as escopetas.

Tiãozinho devia mesmo estar metido em algum lance muito grande, eu pensei. O tenente colocou outro chiclete na boca, olhou mais uma vez para a dupla na mesa e para nós. Daí saiu, acompanhado pelos policiais.

No exato momento em que a viatura arrancou, os rapazes puxaram as armas. Os dois continuavam imóveis, as mãos ocultas pela mesa. Ia começar a queima de fogos.

Pedi que Josué saísse e baixasse a porta do bar. Ele fez isso, depois de lançar uma expressão triste para o balcão e para as garrafas nas prateleiras.

Magno, que estava ao meu lado, me entregou um dos revólveres que carregava, um 38. Éramos quatro contra os dois.

Como é que vai ser?, eu perguntei.

O preto trocou um olhar rápido com seu companheiro.

Por mim, a coisa já tá resolvida, ele disse. Você ouviu: a polícia vai cuidar do Tiãozinho pra nós.

O branco sorriu.

Mas se você quiser partir pra festa, ele disse, nós topamos. Vai ser um estrago bem grande.

Eu sabia que bastava um movimento brusco e os dois se levantariam atirando. Então baixei o revólver com cuidado e disse:

Ninguém vai ganhar nada com isso. Vamos fazer um trato: vocês dois saem sem problema e nunca mais aparecem por aqui.

O preto ainda tripudiou:

O que você acha?

O branco continuava sorrindo.

Me parece justo, disse. Assim, ninguém abusa de ninguém.

Eu avisei aos rapazes que os dois iriam sair e que a gente não ia fazer nada. E caminhei até a porta, para abri-la.

Os dois sairiam e provavelmente nunca mais botariam o pé naquele bairro. Mas eles eram profissionais e com esse tipo de gente convém não facilitar. Por isso, a um passo da porta, eu parei e alcancei o interruptor, desligando as luzes do bar.

O tiroteio durou meio minuto, se tanto. Quando reacendi as luzes, o preto estava com a cabeça tombada numa poça de sangue sobre a mesa. O branco caíra para trás, arrastando junto sua cadeira. Eu me aproximei e vi que, apesar de estar com um ferimento feio acima do olho direito, ele ainda gemia. Mirei na cabeça e puxei o gatilho, mas as balas do revólver tinham acabado. Um dos rapazes me empurrou para o lado e completou o serviço.

O que vamos fazer com eles?, Magno perguntou.

O de sempre, eu falei.

Olhei o sangue espalhado pelo bar. Eu não queria que o Josué tivesse motivo pra se queixar da gente.

Vamos lá, eu disse. Depois ainda temos que voltar aqui pra fazer uma boa faxina.

MARCELINO FREIRE

Muribeca

Do livro *Angu de sangue*, publicado
pela Ateliê Editorial em 2000.

Lixo? Lixo serve pra tudo. A gente encontra a mobília da casa, cadeira pra pôr uns pregos e ajeitar, sentar. Lixo pra poder ter sofá, costurado, cama, colchão. Até televisão.

É a vida da gente o lixão. E por que é que agora querem tirar ele da gente? O que é que eu vou dizer pras crianças? Que não tem mais brinquedo? Que acabou o calçado? Que não tem mais história, livro, desenho?

E o meu marido, o que vai fazer? Nada? Como ele vai viver sem as garrafas, sem as latas, sem as caixas? Vai perambular pela rua, roubar pra comer?

E o que eu vou cozinhar agora? Onde vou procurar tomate, alho, cebola? Com que dinheiro vou fazer sopa, vou fazer caldo, vou inventar farofa?

Fale, fale. Explique o que é que a gente vai fazer da vida? O que a gente vai fazer da vida? Não pense que é fácil. Nem remédio pra dor de cabeça eu tenho. Como vou me curar quando me der uma dor no estômago, uma coceira, uma caganeira? Vá, me fale, me diga, me aconselhe. Onde vou encontrar tanto remédio bom? E esparadrapo e band-aid e seringa?

O povo do governo devia pensar três vezes antes de fazer isso com chefe de família. Vai ver que eles estão de olho nessa merda aqui. Nesse terreno. Vai ver que eles perderam alguma coisa. É. Se perderam, a gente acha. A gente cata. A gente encontra. Até bilhete de loteria, lembro, teve gente que achou. Vai ver que é isso, coisa da Caixa Econômica. Vai ver que é isso, descobriram que lixo dá lucro, que pode dar sorte, que é luxo, que lixo tem valor.

Por exemplo, onde a gente vai morar, é? Onde a gente vai morar? Aqueles barracos, tudo ali em volta do lixão, quem é que vai levantar? Você, o governador? Não. Esse negócio de prometer casa que a gente não pode pagar é balela, é conversa pra boi morto. Eles jogam a gente é num esgoto. Pr'onde vão os coitados desses urubus? A cachorra, o cachorro?

Isso tudo aqui é uma festa. Os meninos, as meninas naquele alvoroço, pulando em cima de arroz, feijão. Ajudando a escolher. A gente já conhece o que é bom de longe, só pela cara do caminhão. Tem uns que vêm direto de supermercado, açougue. Que dia na vida a gente vai conseguir carne tão barato? Bisteca, filé, chã-de-dentro — o moço tá servido? A moça?

Os motoristas já conhecem a gente. Têm uns que até guardam com eles a melhor parte. É coisa muito boa, desperdiçada. Tanto povo que compra o que não gasta — roupa nova, véu, grinalda. Minha filha já vestiu um vestido de noiva, até a aliança a gente encontrou aqui, num corpo. É. Vem parar muito bicho morto. Muito homem, muito criminoso. A gente já tá acostumado. Até o camburão da polícia deixa seu lixo aqui, depositado. Balas, revólver 38. A gente não tem medo, moço. A gente é só ficar calado.

Agora, o que deu na cabeça desse povo? A gente nunca deu trabalho. A gente não quer nada deles que não esteja aqui jogado, rasgado, atirado. A gente não quer outra coisa senão este lixão pra viver. Este lixão para morrer, ser enterrado. Pra criar os nossos filhos, ensinar o nosso ofício, dar de comer. Pra continuar na graça de Nosso Senhor Jesus Cristo. Não faltar brinquedo, comida, trabalho.

Não, eles nunca vão tirar a gente deste lixão. Tenho fé em Deus, com a ajuda de Deus eles nunca vão tirar a gente deste lixo.

Eles dizem que sim, que vão. Mas não acredito. Eles nunca vão conseguir tirar a gente deste paraíso.

MARCELINO FREIRE

Solar dos Príncipes

Da coletânea *Ficções fraternas*, organizada por Livia Garcia-Roza
e publicada pela editora Record em 2004.

Quatro negros e uma negra pararam na frente deste prédio.

A primeira mensagem do porteiro foi: "Meu Deus." A segunda: "O que vocês querem?", ou "Qual o apartamento?". Ou "Por que ainda não consertaram o elevador de serviço?"

"Estamos fazendo um filme", respondemos.

Caroline argumentou: "Um documentário." Sei lá o que é isso, sei lá, não sei. A gente mostra o documento de identidade de cada um e pronto.

"Estamos filmando."

Filmando?

Ladrão é assim quando quer seqüestrar. Acompanha o dia-a-dia, costumes, a que horas a vítima sai para trabalhar. O prédio tem gerente de banco, médico, advogado. Menos o síndico. O síndico nunca está.

— De onde vocês são?

— Do Morro do Pavão.

— Viemos gravar um longa-metragem.

— Metra o quê?

Metralhadora, cano longo, granada, os negros armados até as gengivas. Não disse? Vou correr. Nordestino é homem. Porteiro é homem ou não é homem? Caroline dialogou: "A idéia é entrar num apartamento do prédio, de supetão, e filmar, fazer uma entrevista com o morador."

O Porteiro: Entrar num apartamento?!!

O Porteiro: Não.

O Pensamento: Tô fodido.

A idéia foi minha, confesso. O pessoal vive subindo o morro para fazer filme. A gente abre as nossas portas, mostra as nossas panelas, merda.

Foi assim: comprei uma câmera de terceira mão, marcamos, ensaiamos uns dias. Imagens exclusivas, colhidas na vida da classe média.

Caroline: "Querido, por favor, meu amor." Caroline mostrou o microfone, de longe. Acenou com o batom, não sei.

Vou bem levar paulada de microfone? O microfone veio emprestado de um pai-de-santo, que patrocinou.

O porteiro apertou o apartamento 111, 112, 138. Foi mexendo em tudo que é andar. Estou sendo assaltado, pressionado, liguem para o 1, 9, 0, sei lá.

A graça era ninguém ser avisado. Perde-se a espontaneidade do depoimento. O condômino falar como é viver com carros na garagem, saldo, piscina, computador interligado. Dinheiro e sucesso. Festival de Brasília. Festival de Gramado. A gente fazendo exibição no telão da escola, no salão de festas do prédio.

Não.

A gente não só ouve samba. Não só ouve bala. Esse porteiro preto e mal-encarado deixando a gente preso do lado de fora. O morro tá lá, aberto 24 horas. A gente dá as boas-vindas de peito aberto. Os malandrões entram, tocam no nosso passado. A gente se abre como um passarinho manso. A gente desabafa que nem papagaio. A gente canta, rebola, a gente oferece a nossa coca-cola.

Não quer deixar a gente estrear o porra do porteiro. É foda. Domingo, hoje é domingo. A gente só quer saber como a família almoça. Se fazem a mesma festa que a nossa. Prato, feijoada, guardanapo. Caralho, não precisa o síndico. Escute só. A gente vai tirar a câmera do saco. A gente mostra que é da paz, que a gente só quer melhorar, assim, o nosso cartaz. Fazer cinema. Cinema. Veja Fernanda Montenegro, quase ganha o Oscar.

— Fernanda Montenegro não, aqui ela não mora.

E avisou: "Vou chamar a polícia."

A Gente: Chamar a polícia?

Não tem quem goste de polícia. A gente não quer esse tipo de notícia. O esquema foi todo montado num puta dum sacrifício. Nicholson deixou de ir vender churro. Caroline desistiu da boate. Eu deixei esposa, cadela e filho. Um longa não, é só um curta. Alegria de pobre é dura. Filma. O quê? Dei a ordem: Filma.

Em câmera violenta.

Porra, Johnattan pulou o portão de ferro fundido. O porteiro trancou-se no vidro. Assustador. Apareceu gente de todo tipo. E a idéia não era essa. Tivemos que improvisar.

Sem problema, tudo bem.

Na edição, a gente manda cortar.

NELSON DE OLIVEIRA

Algum lugar em parte alguma

Do livro *Algum lugar em parte alguma*, publicado pela Record em 2006.

1

Cão, você não olha por onde anda?

Cão jamais olha por onde anda. Simplesmente vai, fugindo pelo quintal, por baixo da cerca, pelo terreno baldio, derrubando tudo o que lhe vem pela frente, às vezes passando pelos quintais vizinhos, quase sempre por lugares há muito tempo abandonados.

Bella, então, apoiada na maçaneta da porta, grita, volta aqui, Cão, pára com isso, mas ele não volta, ele vai correndo, sempre em linha reta. Corre devagar porque tem as patas doentes, cobertas de ferimentos, e já está velho e cansado, mas sempre em frente, na direção do quarteirão vizinho e depois para dentro da velha casa abandonada no final da rua, entre dezenas de outras casas, todas velhas e abandonadas.

Bella dispõe-se a segui-lo. Mas sabe que isso é impossível. Não, não daria pé. Não com essas suas pernas gordas e endurecidas. Cheias de varizes, de raízes secas.

Mas então, de maneira inesperada, Cão sai do interior da velha casa e pára diante da porta caindo aos pedaços. Paralisado, começa a passear o focinho por todos os orifícios da parede e do assoalho, chafurdando em vários pontos, sempre à procura de alguma coisa, qualquer coisa. Pelo menos é o que parece. E, de repente, sem que isso faça o menor sentido, salta sobre a escada, sobre as caixas pestilentas no jardim, e vem aos tropeções, muito alegre por estar de volta, correndo na direção de Bella, sim, na direção dessa mulher velha e ansiosa à sua espera, agachada, de braços abertos, Cão, mais uma vez correndo na direção dos seus braços, passando entre eles, entrando na cozinha.

Lá, ziguezagueia, ora subindo numa cadeira, ora entrando nos armários, indeciso, mordido por alguma coisa invisível.

Sem perder tempo Bella abre novamente a porta, depois o portão de tábuas soltas, apodrecidas. Ela imagina que, talvez, o tradicional passeio fora de casa, repetido sem falta todas as manhãs, conseguirá despertar o interesse do seu animal.

Cão, no entanto, parece não estar interessado. Anda de um lado para o outro, preguiçoso, sem se decidir a sair ou a ficar, aparentemente insatisfeito com a mulher na porta, aparentemente insatisfeito com tudo. Indeciso, finalmente sai. Seguido de Bella e do carrinho de feira.

2

A construção se instalara comodamente, durante a noite, ao lado da ponte, entre os casebres toscos e imundos da favela, e Bella, de onde estava, podia ver muito bem as nove colunas de concreto, todas erguidas ao lado do barraco, ao lado do seu barraco, e outras nove colunas erguidas mais adiante, próximo à estação ferroviária e a outro tanto de colunas iguais espalhadas no horizonte, quase perdidas, formando um formigueiro de operários bem no centro da cidade e outros formigueiros em outros lugares.

Também estavam lá, os operários, do outro lado da pequena ponte de concreto, e Bella, diante do rio, contemplava com impaciência e perplexidade a figura saltitante de um cachorro, alinhada com a margem direita, diante dos seus olhos, inquieta.

Bella tirava gravetos e pequenos brinquedos de seu velho carrinho de feira enferrujado. Tirava e dizia, Cão, você pode correr, então corre contra o vento, salta, Cão, sente essa sensação de movimento no espaço, o cheiro morno da poeira, a água no focinho. Tudo isso Bella dizia, ou pelo menos tentava dizer, sentada na grama, diante do rio, próximo à construção.

Bella, mesmo ao ar livre, sentava-se com dificuldade por causa da perna dura, doente, da mesma forma que, às vezes, em casa, se sentava com dificuldade numa cadeira, ou numa poltrona, por causa da sua perna dura e da sua outra perna em processo de endurecimento, porque foi nessa época que sua perna boa, boa no sentido de que não era dura, começou a endurecer.

Mas, às vezes, após alguns minutos de descanso, a perna melhorava e então era Bella quem fazia o papel de Cão. Era ela quem se movimentava, andando daqui para lá, atirando gravetos no ar, quase perdendo o equilíbrio, quase caindo no rio, pulando contra o vento para depois voltar, mancando e arrastando-se, com dificuldade, sobre o cheiro morno da poeira, na tentativa de excitar Cão. É. Tudo para excitá-lo.

Mas Cão não se excitava. O bom e velho Cão.

3

Enfim, no final da tarde, consternada, Bella reuniu suas coisas, enfiou tudo no carrinho de feira e iniciou a volta para casa.

Bella voltava de um jeito meio atropelado, exausta, como se estivesse indo para bem longe. Às vezes, parava e olhava para trás, mas Cão não corria nem saltava, apenas a acompanhava, aparentemente adormecido, apenas marchava com a infinita lentidão dos professores e dos condenados.

Sua silhueta quadrúpede e avermelhada lançava um recorte abrupto contra a paisagem, contra o desenho da construção mais adiante. A hora era de muito calor e a primeira coluna de concreto, vista contra o sol, parecia um pouco torta, ondulando na reluzência do ar.

No momento em que ia atravessar a pequena ponte de concreto, Cão, inesperadamente, parou. Seu focinho vasculhava o ar.

Cão, por aqui, vamos, Bella gritou enquanto se arrastava sobre a ponte, enquanto descia do lado de cá, decidida a não mais olhar para trás. Cão que a seguisse se quisesse. O infeliz.

Então houve uma explosão abafada, planejada, depois outra e mais outra, cinco, seis explosões em pontos eqüidistantes, todas de igual intensidade, a terra estremeceu, o ar se fez mais leve, Bella olhou para trás e viu que a ponte, a princípio devagar, depois pedra após pedra, com muita rapidez começou a desaparecer.

— Cão!

4

Vem, Cão, corre, carrega o vento, a poeira, o cheiro das folhas despencando, corre e carrega em espirais de cabelos negros o movimento das ruas ao teu redor, a serragem da madeira recém-cortada, salta, Cão, salta sobre o capim enquanto é tempo, cheira, reúne e traz a textura e o volume das calçadas, do lixo abandonado nas portas, embaixo, nos porões, em cima, nos depósitos, agora corre sobre a ponte, sobre o que ainda resta dela, corre, corre!

5

Mas Cão não correu.

Um milhão de faíscas subindo, e descendo, o ruído d'água.

Bella correu. Ela imaginava estar correndo, mas na verdade apenas se arrastava um pouco mais rápido do que o habitual. Um vento repentino chicoteou o seu rosto. O vento envolveu a trilha e, de uma só vez, comprimiu todo o lugar, escurecendo-o. Depois, num tremor de meio segundo, desapareceu.

Durante o rápido silêncio que se seguiu, os olhos de Bella saltaram as águas do rio e se detiveram na mancha turva e opaca que, um minuto antes, estivera correndo e brincando ao seu redor.

Do lado de lá do rio, Cão olhava as pedras, o entulho, com mais interesse do que quando parava para olhar Bella. Às vezes, erguia as orelhas, visivelmente curioso.

Bella então gritava, e Cão, através da poeira brilhante e através desse chuvisco que o colocava senhor de si, oculto de todo o resto e do próprio corpo, de tempos em tempos parava de olhar o entulho para morder, com fúria, a própria carne, nos lugares em que, provavelmente, os carrapatos o picavam.

Bella voltou a gritar, Cão!, mas fosse porque não queria, fosse porque não compreendia, Cão não respondeu. Distraído, limitou-se a sentar sobre as próprias patas e a erguer as orelhas.

Pouco depois, alguns homens uniformizados vieram com máquinas e ferramentas.

Dali de onde estava, Bella escutou quando se aproximaram. De onde vinham os homens e as ferramentas? Não sabia. De uma maneira estranha viu o rosto de um deles, de um homem magro, efusivo, pálido, que engolia em seco e mordia os lábios, muito doente, e também o de um homem baixo, de cabelos ruivos e muito vermelho nas maçãs do rosto e na testa, e o de um rapaz sardento, e muitos outros rostos, todos na margem oposta do rio. O de um velho com o queixo enrugado e o de outro homem com um sinal de nascença num braço.

Vieram todos. E seguiram em frente, levando as máquinas e as ferramentas até a próxima ponte, até a próxima demolição, para longe de Bella parada no lado de cá, prestes a abandonar seu carrinho, quase fazendo um sinal, por favor, alguém, por favor, olhem, Cão está perdido, nos ajudem, mas ninguém parou, foram em frente espalhando ferramentas, embaralhando e atravancando o caminho, sem olhar para trás.

Quando a procissão finalmente desapareceu numa curva, Bella, quase sem ar, lívida, se deu conta de que Cão, Santo Deus!, Cão não estava mais lá, pelo menos não ao alcance dos seus olhos. Cão não estava mais lá. Não.

A trilha realmente estaria ondulando, ou seria o sol?

Bella, de repente, sentiu-se muito velha, com náuseas.

6

Em algum lugar, bem distante, um ruído.

Bella ergueu-se sufocada. Há alguém aqui!

Um ruído baixinho, como se fosse a ponta de uma agulha tocando o céu, riscando a cama, os lençóis.

O ruído, o estalo, um par de toques sonoros. Do quê?

De um cão que ladra.

De um cão.

7

Bella prendeu a respiração, mas o ruído no assoalho parou imediatamente. Porém, mesmo em silêncio, continuou entre as paredes, embaixo da cama, sob os móveis. E, de repente, pelo vão escuro da escada, em intervalos, começou a subir o ruído de pés se arrastando, um depois do outro, com dificuldade, o ruído de um cão que atravessava as ruas, as pontes, as esquinas, correndo, correndo, cinco, dez, quinze minutos, como se o cão estivesse correndo e alguém, caminhando, assoviasse e o cão diante desse sinal desse meia-volta e voltasse para casa, em desabalada carreira, indo e vindo, em círculos, como se o animal estivesse nas mãos de alguém, preso por uma corrente fantástica num quarto quente e ondulante, possuído pelo fogo.

Bella então percebeu bem perto, agora bem mais perto, lá no começo da rua, que tudo não passava de um mal-entendido.

Isso mesmo. Tão-somente um pequeno mal-entendido.

Cão não estava ausente, estava ali no quarto, ao lado de Otto e de Bella, e Bella não estava sonhando, estava acordada ao lado de Cão e de... Otto deu-lhe um safanão e ela acordou bruscamente, sufocada, presa nas próprias lágrimas.

8

Bella acordou no meio da noite.

Acordou com um sentimento familiar, inesperado, como se estivesse sob uma labareda, sob uma fornalha, o quarto ondulando, encurvado.

Deitada em silêncio, acompanhou no teto o movimento dos carros, das sombras que vinham da rua, projetadas pela janela.

Otto não estava dormindo, mas não se mexia. E roncava. Tudo estava tão irreconhecível. Ele está dormindo sim, ela pensou. Bella, deitada de costas, enfiou o dedão do pé esquerdo em uma dobra do cobertor. Não era uma dobra mas um descosturado, e isso a aborreceu. Vai ser preciso costurar isso algum dia. Tirou o pé do cobertor e levantou-se. Em pé, uma sensação de ridículo, um leve desconforto, fez com que voltasse para a cama. Era noite ainda. Pelas frestas na parede forrada com jornal, o ruído dos automóveis entrava no quarto, preenchia-o. No teto, as sombras ganhavam som.

Bella, sem sair do lugar, abriu a janela e viu a noite.

Era uma noite como aquelas em que percorria a cidade, Cão correndo na frente, atrás, do lado, em volta, sempre em frente, mesmo quando recuava, mesmo seguindo pelas ruas de pedra onde as sombras dos edifícios não lhes davam passagem.

Ouviu um estalo.

Era Otto.

Ele mastigava e grunhia.

Apoiada no batente, agora em silêncio, Bella, aos poucos, foi ocupando seu lugar entre os lençóis, sonolenta, quase dormindo, correndo, correndo embaixo da cama, sob os móveis, como o ruído de um cão que atravessasse as ruas e as esquinas.

Bella, deitada, sentiu-se novamente, de certa forma, mais familiar.

9

O que faz um cachorro quando não está dormindo, comendo ou cagando no chão do quarto? Na minha família, em minha terra, ninguém nunca se interessou por cachorros.

Otto não via motivo para tanto alarme. Estava satisfeito? Por que não estaria? Cão era um animal velho e doente, e afinal para que serve um cachorro quando se está tentando dormir?

Otto dormia praticamente o dia todo.

No entanto, estando Cão ausente, Bella também se ausentava.

Perdida em pensamentos flutuantes, permanecia, ela teimava em permanecer, quase sempre onde Otto não podia alcançá-la. Estaria fingindo? Na cama, cobria o corpo apenas pela metade, como se esse não fosse o seu corpo, mas o de um manequim, enquanto Otto a observava, de pé, sem compreender o porquê de tanta exasperação.

Cão estava perdido, não estava? Eles, os funcionários da prefeitura, certamente estiveram por perto. Eles o levaram, não o levaram? Eles sempre levam os cães perdidos. O que mais há para se fazer agora?

Bella, na escuridão, ao perceber o olhar inquisidor, inimigo, calçou os chinelos, fechou a cortina que separa o quarto do resto do barraco e saiu apalpando de leve as paredes, o fogão sujo de cinzas, a porta.

Fora do barraco, desceu pela ladeira íngreme e os pés, no momento em que subiram na rua, afundaram no barro esparramado entre os barracos pelo esgoto a céu aberto.

Bella, bastante exasperada, aos tropeços e palavrões, a fim de distanciar-se mais e mais da insuficiência de Otto, seguiu em frente sem titubear.

10

Otto não gosta de animais. É curioso. Não gosta dos homens e não gosta dos animais.

Bella andava, sim, apesar da dificuldade, andava. Que subterfúgio inútil! Procedia como quando não conseguia dormir: arrastando-se. Passeava com vagar dentro das próprias idéias, arrastando a perna quase dura, gorda, observando cada pormenor da vizinhança, cada janela, um pedaço de pano aqui e, ali, uma cueca no varal, mais adiante um crucifixo em cada porta, mas Otto também não gosta de crucifixos, Otto não gosta de Deus. Ele tem dúvidas e não gosta de falar nisso. Mas é necessário pelo menos gostar de Deus, não?

Bella andava e escutava ao seu lado um ruído abstrato, um sussurro, chamando, Anabella, ei, Anabella.

Seria o riso de Deus? Um riso oculto, sem origem, mas presente em toda parte.

Mas não era Deus. Logo percebeu. Era Morgam, o Porco, que andava ao seu lado, arrastando uma perna, imitando os movimentos da sua perna, um arrastar de pés semelhante ao seu, andando e rindo, fazendo caretas.

Morgam, o Porco, o Alucinado. Tinha problemas na cachola, um parafuso a menos, talvez dois.

Bella não parou.

Andaram.

Morgam andou um bom pedaço azucrinando-a, depois sem qualquer razão, sem que ela precisasse fazer um único gesto de ameaça, correu e escondeu-se num terreno baldio, imundo. Seus movimentos foram mecânicos, sem sentido. O riso, de qualquer forma, continuou, porém, agora, com menos intensidade.

Cão, se estivesse ali, correria atrás dele.

Cão e o Porco se davam muito bem.

Na rua, lá adiante, quem?, alguém, vultos, batiam com várias marretas numa parede caindo aos pedaços.

Um homem aproximou-se, passando por Bella, e bateu com a sua marreta. Mais homens vieram, todos cruamente uniformizados. Dividiram entre si outras tantas marretas e começaram a bater. Bateram e bateram. A parede, já no limite, veio abaixo com uma última e poderosa batida. Mais homens chegaram, trazendo carrinhos-de-mão, e se puseram a remover as pedras menores.

Ao meio-dia, trouxeram dois caminhões para retirar o restante do entulho.

11

Duas horas depois, Otto desce do ônibus, junto de dezenas de outros atropelados, diante do prédio da prefeitura. Bella está ao seu lado, às vezes, à sua frente, às vezes, atrás, mas ele não a vê. Apenas pressente sua proximidade, sua influência, seu hálito.

Dois homens conversam colados à porta. Um deles está com as duas mãos estendidas para a frente, segurando um maço de papel, os movimentos típicos de quem conta dinheiro, enquanto o outro permanece quieto, olhando-o fixamente nos olhos abaixados.

Dentro do prédio, Otto tem a impressão de estar em uma assembléia. Um amontoado de gente, de pessoas apertadas. Além do mais, ninguém parece estar interessado na presença de Otto.

Todos se reúnem em torno de uma mesa, aos gritos, e o homem que está atrás da mesa, com certeza o subsecretário, tão bem alinhado, com sua franja de filme de gângster francês, nada faz para impedir todo esse alvoroço.

Muito pelo contrário.

Ele, às vezes, abre a janela, sempre acompanhado pelo olhar atento da multidão, e respira mais aliviado diante da cidade, diante da constante ebulição nas ruas. Em pé, absorto, seus pensamentos passeiam por um mundo sem vida, molhado pela chuva da manhã.

Então, sem quê nem por quê, ele volta à mesa.

Não há nada a dizer, ele diz a si mesmo comodamente sentado, transubstanciado, na sua cadeira ao lado da janela.

Otto está impaciente. Está tão apertado, contra a porta, e tamanha é a pressão que sobre ele exercem, que pouco falta para que seja atirado como uma rolha de volta por onde entrou. Enquanto isso, a metade esquerda da sala continua com o rosto voltado na direção do subsecretário.

As pessoas, comprimidas umas contra as outras, roçam com força os ombros e agitam-se, aos gritos, como que assaltadas por um insuportável ataque de tosse.

O subsecretário porém não se inquieta com isso. Limita-se a folhear com indolência o livro de registros, uma espécie de caderno escolar, velho, inteiramente deformado pelo mau uso, definitivamente o único objeto que há sobre a sua mesa.

Otto então decide que já é hora de se apresentar. Para isso, é preciso abrir caminho na multidão, coisa que lhe parece, de imediato, impossível. No entanto, decidido a alcançar o outro lado, ele começa a se chocar com a parede de pessoas, começa a penetrá-la. Avança um pouco, tenta forçar a passagem. Todos, no entanto, estão fazendo o mesmo. Otto recebe alguns golpes, algumas cotoveladas no estômago, como advertência, e enfim desiste.

Não há nada que possa ser feito contra isso.

Uma parede baixa composta na sua maior parte por homenzinhos do subúrbio iguais a ele circunda-o e impede qualquer avanço. Algumas pessoas, de vez em quando, estendem os braços no ar, como se estivessem se comunicando com o subsecretário através de sinais, como se estivessem fazendo a caricatura de alguém.

Otto então decide permanecer parado, pelo menos até encontrar uma forma de furar o bloqueio. Parado, braços cruzados, percebe que sem o menor esforço seu corpo começa a se mover, está se movendo. Seguindo uma trajetória inteiramente arbitrária, aos olhos de Otto a multidão circula, quase como numa dança, em espirais, pelo salão. As pessoas se movem ao som de gritos e de gestos, num redemoinho involuntário.

Aproveitando o movimento, dando voltas, Otto deixa-se levar, percebendo que na confusão produzida por toda essa gente apinhada há, livre, uma espécie de caminho que, quase imperceptível, provavelmente divide a sala em dois lados iguais. Uma trilha invisível, mas real.

Próximo à janela, todos possuem um número impresso em papel barato. Otto, quando dá por si, percebe em sua mão uma senha igual às outras. Meio minuto depois, quase sem esforço, está diante do subsecretário, tendo, como num passe de mágica, a multidão às suas costas.

12

Visto de perto, o subsecretário não parece tão tranqüilo. Não é o taumaturgo que sua silhueta sugeria há um minuto. Ele folheia com nervosismo o livro de registros, quase não respira, meio irritado ou impaciente, não pára de se mexer, inquieto, na cadeira, e principalmente, envolvido pelas linhas do caderno, não presta a menor atenção na figura de Otto, nas suas palavras sem tempero.

Há muitas linhas a ser conferidas no livro de registros.

Otto volta a falar, explica-lhe sua questão, fala a respeito do mutismo a que Bella se entregara, do inferno que tem sido a sua vida depois que Cão desapareceu, deixa sobre a mesa o rumor de sua fala áspera, completamente abafada pelos gritos dos vizinhos. No entanto, mesmo sem ouvir o subsecretário recua, assustado.

Otto sente suas mãos suarem.

Teria dito algo de errado?

Otto procura gesticular menos, não quer causar uma má impressão, talvez algo que tenha dito, Bella sempre se queixa da sua fala áspera, talvez sua fala sem vida de velho ignorante tenha, sei lá, o subsecretário, tão bem alinhado em seu terno de musselina cinza, mas o quê, por quê?

Não, não é a sua fala. É o seu hálito. Otto cheira mal.

O subsecretário afasta-se da mesa, vai até a janela e respira aliviado.

Não há nada a dizer. Nada.

Meio minuto depois Otto não está mais diante da mesa. Está em movimento, novamente impulsionado por forças irresistíveis, perdido em algum canto da sala. Às suas costas, segue um murmúrio vivo, contínuo e gravitacional, um vapor extremamente denso que o impede de ver com nitidez os que estão mais ao fundo.

13

Bella bateu a porta, não estava nervosa, no entanto, desgraçado, ela disse, desgraçado, desgraçado, repetiu duas, três vezes, andou até a escada e parou. Ficou algum tempo parada, pensando no que é que devia fazer, sem se arriscar a descer ou a voltar. Deu meia-volta e voltou. Estava atropelada. Parou. A porta continuou fechada. Porém, através do vidro via-se claramente o interior da repartição, uma parte das camadas externas do imenso grupo que se aglomerava lá dentro.

Otto vinha pelo corredor, arrastando-se como um cão perdigueiro, bufando, igualmente atropelado. Vinha pelo corredor, murmurando, mais com os punhos do que com a língua. Filho-da-puta, era o que ele dizia para si mesmo. Filho-da-puta! Sua boca se enchia de espuma a cada nova repetição das palavras definitivas. No ar, entre as paredes, tudo parecia tremer na presença da sua voz. Mas havia algo errado. Otto percebeu o que era e se corrigiu. Filhos-da-puta, todos eles. Corja, cães. Agora sim estava correto. Não era apenas ele, o subsecretário. O grande problema eram elas, as pessoas sem vida, sem alma, perdidas na multidão, constituindo-a. Eram elas, não eram?

Otto não estava andando, mas não conseguia parar. Estava furioso.

Bella abriu a porta para que ele pudesse passar.

14

Otto andou mais alguns metros e parou diante da escada, sem sequer se dar conta de que a porta, agora às suas costas, abrira-se para a sua passagem de maneira mágica, celestial.

Filhos-da-puta!

Nada poderia detê-lo. Nesse momento, uma porta abrira-se para ele da mesma forma mágica com que todas as portas fatalmente se abrem diante de um homem furioso.

A princípio a presença quase esfarelada de Bella, ao seu lado, passou completamente despercebida. Otto, contrariado, remoendo impropérios, não via, não ouvia nada.

Haveria vento nesse labirinto de edifícios acinzentados?

Otto parou a poucos centímetros do primeiro degrau e olhou para baixo, para a pilha de ferragens depositada no asfalto, muito longe dos seus olhos, lá embaixo, como se fossem um amontoado de miniaturas sujas, outrora espalhadas pela rua, longe dos seus pés, das suas mãos. Enfiou as mãos nos bolsos, para fugir da insuportável sensação de não saber o que fazer com elas. Podia sentir os músculos da nuca, podia ouvir seu próprio pulso tiquetaqueando nos bolsos das calças. O lugar estava cheio de tiquetaques. Porém, depois de um certo momento, calaram-se todos os outros sons, ficando apenas em primeiro plano o dos pulsos nos seus bolsos.

A rua estava ocupada por máquinas, caminhões e homens com capacete. O edifício da prefeitura, de fora a fora, estava coberto por um véu de náilon. As pedras caíam do último andar, escorregavam pelo véu e explodiam a meio metro da parede. Os homens batiam no concreto e as pedras caíam.

Otto perambulava por seus pensamentos, sozinho, e quando a cena dessa demolição chegou à sua consciência, ele simplesmente murmurou, falta sorte neste lugar, é, porra, que grande falta de sorte.

Aposto que vão quebrar tudo, murmurou mais uma vez, sentindo que a sua língua tentava, com muito esforço, convencê-lo de algo já bastante sabido.

Tirou as mãos, os pulsos, dos bolsos, para se proteger da fuligem. O tique-taque cessou.

Imediatamente um milhão de sons cobriram seus ouvidos. O torpor quente dos dias de verão, as máquinas na rua, os homens batendo no concreto e as pedras caindo, rolando, explodindo em toda parte.

Otto olhou para baixo. Sua sombra estava parada, dobrada sobre os degraus. Subitamente ela se mexeu e andou até a porta. Depois, ela parou diante da porta, apreensiva. Otto veio da escada até a porta, parou sobre a sombra e ficou. Estava com as duas mãos na maçaneta, pronto para girá-la, mas, ao se aproximar da pequena janela, entreviu dois rostos que surgiram de repente, refletidos no vidro quase ao mesmo tempo.

Um feminino, de touca, estreito e comprido como um pepino. O outro, masculino, negro, redondo e enrugado como uma ameixa.

Parado diante da porta, Otto retrocedeu um pouco, aterrorizado. Suas roupas, sua barba, tudo nele estava emporcalhado. Você podia se vestir melhor, não podia?, Bella havia-lhe dito de manhã no barraco.

Deu meia-volta e pela primeira vez, decepcionado, percebeu a presença da mulher, seu rosto também refletido na janela. Sim, lá estava ela no meio do tumulto, mais próxima do que nunca. Não havia a menor dúvida. Atrás dos dizeres pintados no vidro lá estava ela, Bella.

Algum dia, ela pensou olhando-o nos olhos, sim, algum dia haveria de me reconhecer, não?

Otto, em mangas de camisa, descalço, parecia mil vezes afogado nas nuvens, no depósito de lixo, em todos os lugares malcheirosos e vis.

15

Bella sentou-se na escada, no terceiro degrau, contando-se de baixo para cima, de modo que seus pés puderam finalmente descansar, soltos, na calçada, e o corpo pôde mais uma vez debruçar-se sobre si mesmo, sobre os próprios membros.

Sentada, puxou com os pés um cascalho, um antigo pedaço dessa mesma escada, cercou-o e fez com que rolasse de um lado para o outro molemente, apenas para observar os pequenos grãos de poeira desprendendo-se em fragmentos cada vez menores, muitos, até que o pedaço de escada solto no chão desapareceu ao lado de uma centena de outros pequenos pedaços, todos aparentemente iguais, espalhados pela rua.

Otto e a sua sombra desceram os degraus e foram andando, desviando-se do entulho, sem nenhuma palavra de afeto.

Bella, prestativa, levantou-se e os seguiu.

16

Iam pela calçada, arrastando as pernas, ora em linha reta, ora desviando-se dos homens uniformizados com ferramentas ou de algum buraco no chão. O lugar estava cheio de ruídos e de máquinas. Otto, prestes a se afogar nesse turbilhão sonoro, parou numa esquina e esperou.

Bella tentava acompanhá-lo, lançando suas pernas, seus pés, contra a calçada. Porém, isso era muito doloroso. A cada dez, doze passos, ela, exausta, parava e se encostava na parede. Então, com seus olhos brancos também parados, ela fixava o chão sem conseguir ver sua beleza, nem a sua utilidade, nem a poeira depositada aqui e ali com mil nuanças sutis, solta, à vontade entre as pedras plantadas no chão e na parede iridescente onde a mulher estava encostada. Mas essas paradas eram de pouca duração, pois ela era teimosa.

E lá estava ela novamente em pé, Bella, de novo errando pela calçada, alternando sua posição da sombra para a claridade, da claridade para a sombra. Sofrendo, sim, porém sem deixar que isso pudesse transparecer. Com bastante indiferença, é claro.

Na esquina, um guarda entrou numa cabine, talvez para responder a um chamado telefônico, quem sabe, vestido de cinza, levando uma coisa comprida e escura na mão, uma chave, talvez, quem sabe.

Otto encostou-se na parede. O guarda, pouco depois, saindo da cabine passou ao seu lado. De repente, tudo parou e fez-se novamente o silêncio, intransponível, absoluto, sim, ele, mais uma vez.

Quando eu paro, como agora, Otto pensou, os ruídos recomeçam estranhamente altos, mas apenas na minha cabeça. No entanto, fora dela, na rua, tudo me parece mergulhado na mais absoluta quietude. Otto concluiu isso, de maneira que assim lhe pareceu, durante as crises de surdez, ser possível reencontrar a audição pelo avesso, pela ausência de ruído.

Continuou parado, mal-humorado, esperando que Bella o alcançasse.

No entanto, Bella ainda estava longe.

Um ônibus apareceu. Otto, cansado de esperar, entrou nele. O ônibus estava cheio, principalmente de funcionários com aparência próspera, com licença, perdão, com licença, a maioria estava em pé, se esfregando sem pudor.

Próximo à porta de entrada, Otto, em pé, sem querer encostou uma das pernas na perna de uma mulher gorda e muito branca, com uma sacola de compras na mão.

Então, pela janela, encontrou os olhos de Bella ainda na calçada, visivelmente decepcionados, vindo o mais rápido que suas pernas lhe permitiam, mas ainda muito longe, longe demais para alcançar o ônibus, até que tudo se desfez, as portas se fecharam, os edifícios começaram a se mover, veio uma nova rua e tudo se repetiu.

O ônibus andou, parou, tornou a andar. Parou na esquina, virou à direita, depois novamente à direita.

A mulher gorda e muito branca — quase vermelha — se levantou e ele sentou-se no seu lugar.

Do lado de fora, uma multidão de cabeças passava rente aos pneus, sempre à direita, ao redor do quarteirão. O ônibus voltou a rodar, sinto muito, me desculpe, perdão, e meio minuto depois parou dentro de uma nova multidão que o aguardava, tomando um pedaço da rua. Como vai, obrigado, tudo de bom, adeus, saudações cruzadas de sardinhas em lata. Otto tentou dar passagem às pessoas que o empurravam, quase escorregou do banco, cuidado, minha perna é muito sensível, doente, alguns homens desceram, uma mulher esbarrou nas suas pernas, uma mulher metade dentro, metade fora do ônibus, então ele se virou para empurrá-la, ela lhe deu um safanão, mil perdões, ela disse cinicamente, ele se voltou para revidar, ela lhe deu outro golpe e sentou-se ao seu lado.

Era Bella.

O ônibus voltou a rodar.

Rodou. Rodaram pela cidade, depois pelos bairros mais afastados, pela marginal, durante quase duas horas.

17

Cão tinha pêlo negro e encaracolado. Cão era, durante todo o tempo, assanhado, divertido. Ninguém na favela batia nele. Ninguém zombava dele, ninguém corria atrás dele.

Durante o dia, nos dias de calor, Cão saía à rua, andava sempre muito devagar, estava velho e, diante de cada porta aberta, ficava parado por muito tempo, pensando se devia ou não entrar, até que entrava, satisfeito, quase sem ser notado.

Cão latia baixo, sem pressa, profundamente. Às vezes, coçava e mordia onde os carrapatos o incomodavam, até sair sangue.

Bella, então, desinfetava as feridas com álcool e as protegia contra a poeira e a chuva. Cão grunhia de dor e muitas crianças vinham até a porta ver o que é que estava acontecendo.

Cão era muito querido entre as crianças pequenas.

18

Uma nuvem embolou-se com várias folhas de jornal levadas pelo vento, criando no céu uma mancha bastante definida, quase orgânica. A mancha saltou sobre a terra, latindo, erguendo poeira, invadindo a cozinha, o quarto onde Bella dormia, atirando objetos no chão, transformando tudo dentro do barraco engordurado e fora de prumo.

Bella acordou empapada de suor.

Era noite ainda e apesar da chuva de há pouco, derramada no vão entre a madrugada e o alvorecer, não havia mais esculturas e desenhos no céu. Nem nuvens e estrelas. Apenas uma fina camada de fuligem, homogênea, cobria parte da sua janela, refletindo a luz da cidade e os faróis dos carros.

19

Bella muitas vezes voltou ao local da antiga ponte, agora deserto durante a maior parte do tempo. Estavam construindo uma nova ponte ali, tão pequena quanto a anterior. A conclusão da obra, segundo o que ouvira de um dos operários, estava prevista para dali a seis meses.

Bella não podia esperar seis meses. Não queria.

Mesmo assim voltava a esse local todos os dias.

Voltava. Todos os dias. Um pouco depois da saída dos operários, voltava para acompanhar os progressos da construção, poucos, devido à falta de bons homens no canteiro de obras. Três ou quatro, no máximo.

A nova ponte seria azul, como a antiga, como o rio, reflexo do céu. Bella ouvira isso também de um operário. Azul. Como o seu vestido.

Bella andava sempre com o mesmo vestido azul, tão velho quanto o rio e o céu. Nunca estava sujo, nunca estava passado. Talvez, porque Bella o lavasse todas as noites antes de dormir e o deixasse pendurado perto da janela, para secar, até o dia seguinte. Ou então, porque ela nunca o sujasse realmente. De qualquer forma, Cão, em qualquer parte, sempre reconhecera o vestido. Sempre reconhecera o cheiro azul do vestido, sempre.

20

No alto do morro, outra construção rompia a casca, ao lado da futura ponte, posicionada entre os barracos da favela. Mas para que essa nova construção desabrochasse era necessário demolir o que quer que estivesse no local. Já haviam tirado todas as telhas de um prédio condenado, e o ferro, agora aparente, lançava sombras ramificadas sobre o entulho, sobre os restos das telhas no chão, que, misturados com a água suja, cobriam os canteiros ao redor com um mosaico feito também de grades de arame e placas de barro malcheiroso.

Uma parede subia, outra descia quase ao mesmo tempo.

Lá em cima, apesar da hora extra, as picaretas continuavam a despregar pedras e tijolos, fazendo-os rolar com grande estardalhaço por canaletas de madeira, arremessando gesso e cimento de um lado para o outro, continuamente, do alto dos andaimes.

Bella olhava o descer e subir dos baldes, das roldanas, os rumores da rua.

Havia um movimento constante ao lado da ponte.

Dentro dessa nova construção, nove colunas iam ganhando altura, aço, concreto. Fora, na parede arruinada do prédio condenado, na parede povoada de operários, rasgos paralelos enchiam de ar o que antes parecia sólido. Pelas frestas que iam desdentando sucessivamente as muralhas surgia, livre de qualquer segredo, um esqueleto de ferro e madeira, antigo, muito apodrecido, prestes a desaparecer.

Ao cair da tarde, o prédio estava mais próximo da terra. A moldura das portas, porém, permanecia ainda de pé, no alto, suspensa sobre a sombra das próprias dobradiças.

21

Bella olhou pela janela do ônibus e tentou imaginar o que poderiam estar fazendo todos aqueles homens lá adiante, no ponto de ônibus seguinte.

Alguma coisa parecia fora do lugar, pois, reunidos ao redor da placa de parada, eram muitos, usavam uniformes diferentes, gesticulavam e apontavam com movimentos ásperos na direção do próprio prédio da estação rodoviária, a poucos metros dali.

Estão contando o número de tijolos, alguém comentou, provavelmente o casal de feirantes que estava sentado à sua frente.

Otto estava sentado entre eles, entre o homem e a mulher.

Estão contando o número de tijolos para uma futura demolição, comentavam, circunspectos.

Bella tentou ouvir o que diziam os homens na plataforma, mas era tarde demais. O ônibus chacoalhou, fez uma curva e parou mais adiante. Chacoalhou mais uma vez, as luzes piscaram, parou, tornou a chacoalhar, as janelas um pouco soltas tremeram contra o batente de ferro. Entrou numa avenida. Parou no sinal. Muitos automóveis pararam no sinal.

Bella viu ao seu lado um caminhão e uma kombi. Otto não se interessou por isso. Ele estava quieto, dentro de si mesmo.

O sinal abriu e, mais ou menos com a mesma vontade, todos os veículos puseram-se a rodar.

Rodaram.

Alguns quarteirões depois, o rio. Outra avenida, agora mais larga. Mais caminhões, ônibus e kombis. Nenhum sinal. O ônibus engasgava e acelerava, seguindo sempre em frente.

Bella afastou o rosto da janela.

A princípio, no horizonte, foram surgindo pequenos prédios abandonados, não muitos. Aqui e ali, duas ou três casas caindo aos pedaços, nada mais. Nada que não possa ser posto abaixo com um simples golpe de marreta, pensou Bella, apreensiva. Estava escurecendo.

Eu não sei mais se devo realmente ir ou não, Otto está tão contrariado, ele detesta aquele lugar, pensou.

Fora, os automóveis trepidavam. Seguiam a mesma faixa, todos na mesma direção.

De repente, ao sair de um túnel, Bella arregalou os olhos. Uma dezena de edifícios, talvez mais, quinze ou vinte deles, espalhados inesperadamente por um descampado imenso e contínuo, ocuparam toda a janela, todas as janelas, quase como uma explosão silenciosa. Mas não se tratava propriamente de um descampado. Era um cemitério, uma grande área demolida cheia de escombros, cheia de montanhas e vales cobertos de material retorcido. Uma superfície misteriosamente irregular, morta. Uma superfície mole e úmida, mas nem um pouco indefesa. Lá e aqui, ao redor do ônibus, em todo lugar, grupos de velhos, monstruosos edifícios — caixas de concreto sem conteúdo, desertas — espalhavam-se por toda a margem direita da longa avenida, perdidos na eternidade.

Bella apoiou-se na janela e assim, com o nariz rente ao vidro, o descampado pareceu-lhe muito mais antigo, mumificado, misterioso, seco, enfraquecido, poderoso, do que o que havia visto um segundo antes.

Pareceu-lhe também muito mais cruel.

Um conjunto residencial vazio de vida, cheio de espectros do passado. Uma região árida e mal-assombrada. Nela, tudo estava parado e quieto, como na mais fria das noites. Nenhuma ferramenta, nenhum operário percorria as suas trilhas, simplesmente porque não havia trilhas em parte alguma.

Havia apenas um latido baixo e distante.

Bella mexeu-se no banco, assustada. O que é isso?

Um latido distante, mas incrivelmente presente. O latido de um cão que vasculha os escombros em algum lugar, perdido em escavações profundas, vazias.

22

Meia hora depois, sozinho, junto com dezenas de outros atropelados, Otto desce do ônibus diante do prédio da prefeitura. Dentro do corredor caminha sozinho, porque Bella não está mais ao seu lado.

23

Bella está de pé ao lado da avenida, os dedos entrelaçados rente ao peito. Está de pé, apenas.

Ouviu o latido minutos antes. Parecia mais próximo. Ouviu e viu, talvez tenha visto mesmo, contra o fundo plano e craquelado, uma silhueta, a sombra de um cão, com certeza a mesma sombra que um dia pertencera ao seu querido e fiel Cão.

Contra o reflexo luminoso dos edifícios, nada. Talvez. Não dá para se ver muito bem, mas ele está lá, uma sombra metida entre os escombros, indefinida, camuflada. Uma sombra.

Sim.

Bella está de pé ao lado da avenida. Lá, em algum lugar. Cão. Ela está certa disso.

24

No corredor, Otto fura uma fila de poucas pessoas, sem titubear. Ninguém diz nada. Ele traz no rosto os contornos lascivos de um demônio imemorial, um demônio decidido a triunfar, muito decidido.

25

Bella está de pé ao lado da avenida.

Agora, está entrando na paisagem, nas ruínas.

Bella, enquanto anda, não percebe que visto de perto o terreno é bem mais irregular do que imaginara, bem mais acidentado e cheio de entulho até do que o que havia visto — ou teria sonhado? — pela janela do ônibus. Bella não percebe isso e continua, cada vez mais esfolada, os tornozelos em contato com os fios de ferro retorcido, espalhados pelo chão.

De repente, um uivo baixo, sobrenatural.

Bella apura os ouvidos, os olhos. Sua boca começa a salivar. Seu estômago dói como se tivesse sido atingido por uma seta envenenada.

Perdida no meio do entulho, cercada por dezenas de paredes aparentemente vitimadas pela explosão de uma bomba, a silhueta de uma criatura dilacerada, metade bicho, metade pó, afasta-se da luz do sol, aprofundando-se cada vez mais no interior dessa selva árida, retorcida, procurando as sombras.

O uivo, com o afastar-se da criatura, vai lentamente se modificando, endurecendo, tornando-se uma coisa mais palpável, menos sobrenatural, apresentando-se, enfim, como um chamado cheio de clareza e convicção.

Um latido.

26

Otto dessa vez não esperou que lhe dessem uma senha. Subiu apressadamente os degraus, atravessou o corredor furando diversas filas, abriu a porta e foi logo entrando no torvelinho, sendo mais uma vez capturado pelo movimento gravitacional da multidão, sem lhe opor nenhuma resistência.

Apesar da pouca visibilidade, devagar foi reconhecendo a velha sala, os grupos de pessoas compactadas, claramente divididos em facções antagônicas, vindos de diferentes bairros, as brechas entre cada grupo, a janela, o subsecretário, o caderno sobre a mesa.

Otto não se deteve. Jogou o corpo para a frente, ora a favor, ora contra o movimento peristáltico, involuntário.

Dessa vez, ah sim, dessa vez haveriam de lhe dar explicações.

27

A silhueta. Bella vai na sua direção, vai até o lugar onde está a silhueta, mas a silhueta não está mais lá, está em outro lugar, mais adiante, mas onde?

Posição de sentido, orelhas bem abertas, ouviu só?, eis novamente o latido, o mesmo latido. Muito perto, em algum lugar à sua frente.

Cão estaria brincando de esconde-esconde?

Sim, claro que sim.

Rente ao chão o terreno forma ondas, às vezes altíssimas, ondas de concreto e ferro, feito um oceano de colunas, como as várias camadas de chocolate num bolo qualquer. Chocolate crocante que Bella sempre põe no bolo de aniversário de Otto. Pilhas de cimento e ferro retorcido. Mas Otto afinal odeia aniversários, principalmente aos domingos. Odeia.

28

— Ei, Otário.

Morgam, o Porco.

— É, você aí, Otário.

Morgam estava no meio da multidão. Estava como sempre onde ninguém esperaria encontrá-lo, com seus trapos sujos, malcheirosos, fazendo careta, gesticulando.

Otto não deu atenção. Pelo menos tentou não dar atenção.

Morgam, o Porco, o filho-da-mãe. Um chute bem dado no meio dessas suas pernas pretas, ah não, esfolar o desgraçado não vale uma passagem de ônibus, concluiu Otto furioso.

Achou melhor ficar calado, caladinho, é, o melhor era ficar calado, não dizer nada. Ninguém perde um bem precioso por manter a boca fechada. Em boca fechada não entra mosquito. Mas quando Otto, deixando de lado a paciência e se agarrando ao pouco da auto-estima que ainda possuía, virou-se para responder à altura à provocação infame, Morgam já não estava mais ali.

Estava perdido no meio da multidão. O filho-da-puta.

Sim, perdido para sempre.

A multidão girava com uma velocidade incrível.

Otto por um segundo sentiu náuseas, além de uma forte pressão no peito. Entretanto, absorvido o primeiro impacto, percebendo-se agora mais tranqüilo, passou a olhar tudo de uma maneira menos confusa, muito mais calma.

De repente, se surpreendeu com a quantidade de animais que havia na sala. Animais de várias espécies.

Boquiaberto, só então percebeu que toda essa gritaria não era uma gritaria meramente humana. Fora algumas pessoas — menos do que havia imaginado —, mais da metade da sala estava completamente tomada por toda sorte de mamíferos e aves. Um verdadeiro viveiro.

Otto se perguntou como, na sua primeira visita, não havia percebido isso.

Dispostas em bandos, as pessoas quase não falavam, limitando-se apenas a escutar e aprovar os silvos e assobios dos bichos. No entanto, ninguém na sala entendia tal gesto como uma simples brincadeira, ou mesmo uma piada. De maneira nenhuma. Todos pareciam levar muito a sério a patética pantomima que estavam encenando.

Às vezes, uma lufada mais forte de ar levanta um pouco de pó, em vários lugares, e isso faz com que Bella espirre, tussa e solte catarro pela boca e pelo nariz.

29

Bella está parada à entrada de uma antiga fábrica agora parcialmente no chão. As portas ainda estão de pé e ela empurra uma das maçanetas para ver o que é que há lá dentro. A fábrica não está deserta: o espírito dos empregados vagueia por suas dependências. O sol entra pelas frestas e orifícios da parede, desenhando uma peneira quente e vermelha sobre o entulho.

E, novamente, a indesejada lufada de ar trazendo tosse e catarro, surgindo de surpresa, atravessando os escombros.

Mas, apesar do mal-estar, o uivo de um animal rastejante — Cão, com certeza! — obriga Bella a andar, a seguir cada vez para mais longe da avenida. Bella, cada vez mais devastada, cada vez mais fumegante, compondo com o cinza da paisagem, sente-se só e sem alma.

Então, novamente, a silhueta, a mesma de antes, metida num buraco grande na parede, a mesma sombra aparece do nada apenas para infernizar seus pensamentos. Aparece, a silhueta, acompanhada de um latido profundo e maléfico.

Bella aproxima-se da parede e ouve risos. Curiosa, através de um rombo circular no concreto ela olha e vê, no centro de um pequeno patamar ainda intacto, alguns vagabundos em volta de uma insignificante fogueira meio acesa meio apagada, fervendo chá.

Bella percebe que é chá pelo cheiro, e neste caso, abrindo bem as narinas, percebe tratar-se de chá requentado, chá velho.

No entanto, mesmo estando bem próximo, não consegue diferenciar os homens das mulheres. Suas cabeças estão parcialmente ocultas, pois todos encontram-se metidos ou em cobertores de jornal amassado ou em sacos de lixo.

Talvez fosse interessante chamar a sua atenção. Os vagabundos deste lado da cidade costumam ser bastante amigáveis, mesmo à noite, e não seria ruim duas ou três pessoas me ajudando a vasculhar o terreno, Bella pensa. Mas logo desiste da idéia. Estão muito bêbados, é o que parece. Gesticulam pouco, quase não se movimentam, não conversam, mas dão muita risada.

Um deles com certeza dorme e os outros, apesar da pouca distância, parecem não ouvir o ruído no buraco, o latido atrás do paredão.

30

Longe da fogueira, longe do cheiro de chá amanhecido, Bella detém-se próximo do buraco, seria mesmo apenas um buraco ou o início, talvez, de um longo túnel por onde, enfim, assim lhe parece, passa a corrente de ar que a faz tossir? Otto, no entanto, não estava de maneira alguma interessado no que toda essa gente de regiões diferentes, díspares, estava disposta a reivindicar. Produziam tanta gritaria, tanta algazarra, que por si só o resultado de suas infrutíferas discussões seria capaz de encher num único dia três salas iguais a essa. Otto estava interessado apenas nele, no homem atrás da mesa. E no caderno de capa suja. Mas os animais... Realmente, toda essa gente, todos esses bichos o exasperavam. O que queriam, afinal?

31

O subsecretário, de pé, segurando um amontoado de documentos, faz um sinal exageradamente afetado de quem pretende falar. Bella aproxima-se do buraco, afasta algumas pedras, sempre com bastante cuidado. O buraco é pequeno e ela não quer provocar um deslizamento. Remove todas as pedras grandes com muita paciência, às vezes, chamando: Cão!, mas quase sem esperanças de obter uma resposta.

Bella deita o corpo mole e informe no chão e começa a tatear em torno do buraco. Num gesto de desespero, enfia a mão dentro dele. Definitivamente debruçada, agora não vê apenas o buraco. Vê dezenas de buracos milimetricamente espalhados pelo chão, pelas paredes, pelo teto quase caindo aos pedaços. O ar, cada vez mais denso. É a sua própria respiração que se descompassa, é a multidão sem fôlego em torno de Otto, ele agora visivelmente compactado, sufocado num canto qualquer, talvez no canto menos significativo da sala.

No entanto, para o grupo mais afastado da mesa, e Otto encontra-se nele, as palavras do subsecretário surgem inaudíveis, abafadas por um estranho chiado. O ruído faz Otto pensar se a sala não estaria cheia de cobras rastejando entre as pernas das pessoas e dos animais. Bella afasta-se, assustada, arrastando o corpo para longe das pedras, espalhando areia, ao ouvir esse chiado rouco que, saindo do buraco, quase arranca a sua mão. Encostada na parede oposta, sem respirar, ela não tira os olhos do buraco. O chiado diminui e retorna ao fundo da toca. Otto, olhando para cima, tranqüiliza-se. É apenas o relógio de parede prestes a dar as horas. Após um segundo cheio de tensão, o sibilar é imediatamente seguido de um sussurro e finalmente, num esforço supremo, engasgado, o relógio bate dez horas, com um som que se assemelha a pauladas num pote rachado. Em seguida, o pêndulo, posto antes num segundo plano, volta a se fazer ouvir, estalando tranqüilamente, nheque-nheque, para a direita e para a esquerda, sem ser incomodado.

Otto, atento às batidas do relógio, esquece-se de prestar atenção ao que o subsecretário está dizendo. Esquece-se. Bella afasta-se cada vez mais do buraco, afasta-se, e o subsecretário enfim, com uma pausa solene, encerra seu comunicado.

32

E a multidão se move.

Pela porta da frente, por mais que alguns assistentes insistam que não há mais senhas disponíveis, continuam entrando pessoas que, na certa sem o saber, vão involuntariamente alimentando a maré.

Otto, ao deslizar os pés pelo fundo da sala, agora menos deslumbrado do que da primeira vez, tem a chance de lançar uma olhadela para além da muralha de cabeças.

Em plena circunavegação, ele vê que a sala é toda ela forrada de papel, o tipo de papel bem velho e amarelecido, listrado. Nas paredes, há quadros representando pássaros, é isso mesmo, pássaros. Pois sim, sorri Otto. E não há apenas uma única e grande janela, como imaginava, mas várias janelas, grandes e imponentes, e cortinas e biombos por todos os lados.

No fundo da sala, Otto vê o subsecretário em pé e, como sempre, ausente, próximo à janela maior, a mais antiga e trabalhada de todas, a janela ideal para os suicidas. O subsecretário. Há, no batente em que ele se apóia para observar o topo dos demais edifícios, uma infinidade de desenhos arredondados, maneiristas, desaparecendo atrás das cortinas. E entre as cortinas, pequenos espelhos antiquados, com molduras em forma de folhagens enroladas, reproduzindo à exaustão as centenas de rostos em movimento dentro da sala. E atrás de cada espelho, uma série de coisas enfiadas: recortes de jornal, documentos inúteis, boletins carimbados, memorandos. No extremo oposto da sala, há ainda o relógio de parede, com arabescos nas laterais e flores pintadas no mostrador.

Além disso, impossível notar qualquer outra coisa.

Pálpebra contra pálpebra, ofuscado, Otto sente seus olhos grudados, como se alguém os tivesse pincelado com cola. Seu rosto está meio pálido e seu estômago, muito enjoado com o vaivém.

Um minuto depois, por uma portinhola lateral, entram uma velha e seu cão, um buldogue já de certa idade, usando na cabeça uma touca de dormir colocada às pressas e uma manta de flanela no lombo. Mas, em seguida, Otto logo percebe algo inusitado. Não se trata apenas de uma velha, mas de cinco ou seis velhas, todas conduzindo seus próprios cães, buldogues, dobermanns, chiuauas, pela portinhola lateral.

33

Bella agora arrasta-se atrás do animal.

Quase pode vê-lo entre as sombras.

Ele corre mais uma vez. Corre com o verão, deixando para trás o prédio naufragado, o esqueleto do que antes havia sido uma fábrica, sim, corre com o som das folhas secas no seu encalço e entra numa casa, ou no que antes havia sido uma casa, na sala de jantar onde uma família morta, invisível, está prestes a terminar sua refeição vespertina.

Bella segue suas pegadas. Percebe seu cheiro em cada novo esconderijo. Talvez não seja Cão. Se é ele, emagreceu. O pêlo caiu-lhe em vários pontos, as costelas sobressaem-se num fundo amarelo onde manchas escuras, cobertas de poeira, supuram e sangram.

À menor aproximação, suas orelhas ficam em pé. Depois, dispara como um fantasma através do entulho. Foge precipitadamente na direção do próximo cômodo em ruínas, rodeia os tijolos, entra nos pequenos túneis abertos nas paredes, há séculos, por mãos invisíveis, pára uma, duas, três vezes, meio desorientado, e continua aos pulos, aparentemente sem destino.

Bella arrasta-se pelos cômodos da velha casa, sem pressa. Enquanto anda, percebe que a casa apesar de velha, quase sem teto, não está morta. E Cão também parece saber disso, por isso ele evita latir ali. Agrada-lhe o silêncio empoeirado das paredes que, talvez por décadas, preencheram e sustentaram os aposentos dessa construção tão quieta e adormecida.

Nela, nos seus túneis, solitário, Cão evita mostrar-se.

Cão é um bicho esperto.

34

Bella move-se com dificuldade, estalando os dedos e assoviando, aqui, cãozinho, aqui, vem.

Está dentro de um corredor bastante obstruído. A fim de contornar a massa de areia e pedregulho que barra a sua passagem, ela entra mais uma vez na sala, segue em frente, atravessa parte do corredor e chega à janela baixa da cozinha.

Ali, o teto não existe mais e Bella, um pouco surpreendida, percebe que, talvez há várias horas, já é noite fora da casa.

Fecha os olhos. Sente a dor insistente que percorre suas pernas. É melhor eu continuar andando, pensa.

Continua parada. Os olhos fechados.

Durante muito tempo, quando criança, Bella sentira medo da escuridão. Sentira medo simplesmente porque esta, durante a noite, nunca havia sido plena, insondável. Na escuridão do seu quarto, sempre existira um fio de luz vindo de fora, provavelmente da lua. Um fio de luz tênue e cortante.

Por isso, sentia medo. Medo dessa luz prateada que recobre todas as coisas, luz fantasmagórica, crescente, talvez a verdadeira luz dos objetos. A verdadeira luz, alguém duvida?, o clarão da lua, obsessivo, que entra pelos poros, pelas paredes e banha toda a paisagem por mais fechada que esteja.

Bella, parada, volta a andar.

Pensa na lua, no medo da escuridão. Sente vontade de parar novamente. Mesmo assim continua.

Devagar, examina o terreno ao seu redor. Vê o animal coçando-se num canto, o corpo todo machucado, os olhos perdidos. Apesar da noite há luz dentro do cômodo. A criatura, quieta. Além da lua, os automóveis na avenida iluminam parcialmente sua fisionomia demoníaca, sem vida.

Bella chega mais perto.

Fitando-o de frente, nos olhos, pensa que não seria má idéia atrair sua confiança com um ou dois pedaços de carne. Sempre estalando os dedos e chamando-o pelo nome, procura nos bolsos, mas o máximo que consegue encontrar são pedaços pequenos de pão. Mesmo assim vai jogando na terra, um a um, o que tem, distribuindo-o da melhor maneira possível.

O animal espia seus movimentos. Desconfiado, enrosca-se numa coluna ainda intacta e vai se desviando até ficar no outro lado da coluna, agachado e inquieto, mostrando apenas dois olhos negros. Uma sede terrível queima-lhe a garganta. Põe-se a latir, sem mais nem menos, e deseja morder Bella, cravar seus poucos dentes nela. Na verdade, não late. Uiva baixinho e os uivos vão diminuindo, tornando-se quase imperceptíveis.

Cão, devagar, consegue se ocultar do outro lado da massa de areia e pedregulho.

Agora, há uma grande escuridão em toda parte. Com certeza até mesmo a lua não deve estar mais presente, talvez coberta por alguma nuvem. Mas isso na certa não vai durar muito.

Aborrecida com toda essa manobra, Bella volta pelo corredor, esgueira-se de novo ao longo da parede da cozinha, pára numa passagem estreita e finalmente entra no cômodo onde o animal está escondido. Otto, por outro lado, aproveitando-se de um movimento inesperado e convexo dentro da multidão, esgueira-se ao longo das cortinas, abre a porta dos fundos e sai, ganhando os corredores, depois a escada e por fim a rua.

35

Otto caminha pela calçada. Um novo prédio vai ser demolido. Caminha, bebendo de uma garrafa. Uma nova região em breve estará de pé sobre a antiga.

Na primeira esquina, ao lado da prefeitura, operários sobem por uma escada até um andaime estacionado próximo a uma janela. O andaime, agitado por bruscas sacudidelas, parece estar prestes a cair sempre que a intensidade do vento aumenta.

Trabalham sob a luz de holofotes.

As sombras se alongam, os muros se multiplicam. Bella passa rente à avenida, rente aos muros e aos terrenos prudentemente cercados, que nada têm a esconder, nada, mas escondem mesmo assim, só por medo, o pouco que ainda lhes resta.

Otto, sem olhar nem à esquerda nem à direita, caminha.

Otto caminha longe dos muros, longe da avenida, ou talvez apenas finge caminhar, encontrando-se na verdade imóvel, roçando a terra, no escuro, com seus pés imundos, seguindo por atalhos pouco conhecidos espalhados por toda a cidade, seguindo trôpego como se desvendasse um mapa muito complexo, posicionado ora acima do chão, ora abaixo, ora sobre a sua própria cabeça, ora sobre a cabeça de Bella que também caminha muito longe dali.

A solidão umedece os olhos.

Mas Bella não está sozinha.

36

Otto caminha pela calçada, exausto, enredado numa série de pensamentos sem sentido, bêbado.

Seus pés vão e voltam sobre uma nuvem de poeira, no escuro, transformados em marmotas, em coelhos. Os pés maravilhosamente transformados. Caralho, e quando tornam a ser apenas pés ele não os traz para perto de si simplesmente porque não pode, antes os deixa lá, indo e voltando longe de tudo, e o que é pior: longe um do outro, ainda que menos longe do que quando estão deitados, dormindo. Os pés.

Otto caminha pela calçada, pela trilha que o levará à favela, seguindo por terrenos baldios, por matagais, passando muito tempo depois ao lado da ponte que ainda não é ponte, é só juntas e articulações sobre a água, só traves e cabos de aço voltados para o futuro, a estrutura ainda no princípio.

Diante dessa construção e das demais, centenas, erguidas às margens do rio, seus olhos, sentindo-se de fato em casa, enchem-se de lágrimas.

Um choro absurdo obriga-o a gritar.

Otto vai até uma parede sólida e fria, provavelmente a primeira coluna da ponte inacabada, somente para sentir a sua textura, a sua consistência.

Sim. Ela existe, é real. Não aqui, não nesse instante. Porém, em outra dimensão, numa outra região da sua cabeça perturbada, em pânico. Numa região maravilhosa e quente, feliz e aconchegante, distinta de todas as outras, tão monótonas, frias, infelizes, desconfortáveis.

Está bêbado.

Por outro lado, se as regiões se fundem umas nas outras, como está inclinado a acreditar, é possível que nessa mesma noite Otto, cochilando numa lona ao lado da coluna, tenha saído dela, da construção, para outro lugar em outro tempo qualquer, várias vezes, e voltado sem sequer perceber que estivera fora.

Fora. Porém, acreditando estar dentro.

Otto levanta-se abruptamente, sentindo a garganta queimar.

Está bêbado.

37

Otto está em casa.

É tarde, o sol já quase para nascer. No entanto, o movimento dos automóveis, dos faróis contra a janela, continua sem cessar. Otto, em casa, dorme.

O conjunto de barracos, de casebres, no lado de fora, com as suas pequenas janelas completamente desertas, encontra-se muito distante, dentro de uma pintura abstrata e sombria.

Otto, às vezes, se mexe violentamente na cama, e acorda.

De pé, meio morto meio vivo, percebe, ou acredita perceber que ainda é noite e volta a se deitar. Dorme. Durante o sono volta a se mexer.

A princípio a sua dor é ainda inconsciente. Ele continua de fato a dormir. Uma agitação desagradável sacode o seu sono, da qual, resmungando, parece querer se livrar. Só depois de algum tempo é que volta a abrir os olhos.

Então, com dificuldade, resolve levantar-se e sair do quarto, como todos os dias, de mansinho, sem fazer barulho, para não acordar Bella. Do quarto passa quase às apalpadelas à cozinha ainda escura e chega ao banheiro.

Do banheiro, ainda em transe, olha para a cama e só então nota que Bella não está deitada ali, nem em qualquer outra parte do quarto. Percebe a ausência dela. Percebe, Otto, os cotovelos nos joelhos, cabisbaixo, sentado na privada.

Mas não percebe o cheiro crescente de terra estranha, o cheiro de noite dentro da noite, que vai se espalhando devagar por cima dos móveis. Não percebe o cheiro nem o ruído de um animal que atravessa as ruas, de um animal distante, as ruas quase em círculos, o animal quase sem pêlos, nos braços de uma velha atropelada. Não percebe Cão. Mesmo que não seja ele, Cão. Mesmo que aquele focinho cinza no colo de Bella nem ao menos se pareça com o focinho dele. Não importa.

Mesmo que seja outro focinho, outro gemido.

E agora pelo vão escuro do batente, em intervalos, pelo portão que dá para a rua, de tábuas apodrecidas, o ruído de pés se arrastando, um, depois o outro, com dificuldade, lentos, lentos, começa a tomar conta da sua atenção, dos seus desejos, dos seus ouvidos.

Talvez devesse sair do banheiro e abrir a porta.

Otto abre a porta.

Não faz mal. Mesmo estando ausente, Cão está de volta.

PAULO LINS

Destino de artista

Conto publicado na revista *Caros Amigos –
Literatura marginal*, nº 2, junho de 2002.

No dia em que o enredo foi distribuído na reunião da ala de compositores, Azeitona saiu radiante: seu filho havia feito um trabalho escolar sobre a Transamazônica, exatamente o enredo daquele ano.

— Pra mim, vai ser mole, é só pegar o trabalho da escola do meu filho e dar uma guaribada — repetia Azeitona, entre goles de cerveja.

Empadinha saiu da reunião apreensivo. Depois daquele dia, rodava pelos cantos, brigava com Valdirene por besteira, passou a ter insônia, enfiou-se na cachaça, porque achou o enredo muito difícil, ruim de se fazer refrão. Arriscava uma melodia ou um verso, e mandava a Transamazônica para a puta que o pariu. Tudo porque não sabia nada sobre a estrada que o diabo do governo estava fazendo no Amazonas. Não iria sair de biblioteca em biblioteca lendo sobre o assunto. Não gostava de ler e muito menos de ir à biblioteca, lugar de silêncio, coisa que ele odiava. Optou pelas notícias de jornais, pelas revistas da barbearia, das biroscas e de casa, mas o samba não saía... O enredo estava mal escrito, com pouca informação sobre a infeliz da estrada.

Num domingo, viu um grupo de amigos tocando instrumentos e Azeitona cantando o seu samba num churrasco organizado na porta do bar do Tom Zé. Fingiu que não viu e saiu de fininho, deprimido até o pescoço, com a possibilidade de não fazer samba naquele ano. Subiu rápido o morro e foi golpeado duas vezes quando viu Caramba e Brasão cantando os seus sambas em biroscas e os amigos ouvindo-os atentamente. Imaginou que todos os compositores da escola já estavam com o samba pronto, mostrando a criação aos amigos, distribuindo a letra do samba mimeografada pelo morro, e ele nada sobre a Transamazônica.

— Se o enredo fosse a Bahia, esses putos iam ter que me engolir! — dizia pra si mesmo.

Era verdade. Apesar de nunca ter sido vencedor, sempre chegava à disputa final quando o enredo era a Bahia, porque seus pais eram baianos e contavam das festas populares de lá, falavam dos costumes, do candomblé, das histórias de pescadores e de tudo mais. Não era como essa Transamazônica, da qual só ouvira falar algumas vezes.

E o que mais o afligia era que, nesse ano, a disputa seria honesta, porque Amendoim havia morrido e sempre era ele quem ganhava com qualquer samba, não porque comprasse os jurados, mas pela violência. Amendoim já havia matado 95 pessoas e duas delas eram compositores de samba vencedor. Daí em diante, ganhou todas as disputas, até morrer com quatro tiros numa quebrada do morro.

Empadinha via a possibilidade de comprar um terreno em Lídice, lugarejo da Costa Verde do Estado do Rio de Janeiro, onde passaria a velhice criando galinha, colhendo a salada de cada dia em sua própria horta e tomando banho de rio à hora que bem quisesse.

Faltando três dias para os compositores entregarem a fita cassete para a diretoria escolher as dez composições que disputariam o prêmio de melhor samba, Empadinha teve a idéia de ir à escola do filho de Azeitona com a intenção de achar um estudante que também tivesse feito um trabalho sobre a Transamazônica.

— Caralho, como não pensei nisso antes?

Ainda eram 9 da noite. Queria que o tempo passasse rápido para encontrar o estudante e fazer logo o samba. Não tinha sono, resolveu ir à birosca beber alguma coisa. Tomou duas doses de Parati, bebeu uma cerveja e, por fim, mandou para dentro um rabo-de-galo. Voltou cambaleando para casa e se jogou na cama de roupa e sapatos.

Não eram nem 7 horas quando ele esperava que as turmas se formassem para localizar a do filho de Azeitona. Marcou bem o rosto de dois meninos e de três meninas.

Quando deu a hora da saída, o compositor se precipitou para o primeiro estudante de quem guardara a fisionomia:

— Você também fez trabalho sobre a Transamazônica?
— Fiz.
— Você pode me emprestar?
— Olha, eu sei muito bem pra que o senhor quer o meu trabalho...
— Como assim?
— O senhor não é compositor da escola?
— Isso.
— Então, todos os compositores vieram aqui pedir trabalho pros alunos, e esses otários aí deram.
— Você não vai me dar, não?
— Lógico que não, se quiser vai ter que comprar.
— Comprar? E quanto é o trabalho?
— Cinqüenta cruzeiros.
— Ah, tá muito caro, vou achar outro aluno...
— Olha, eu tirei 10, hein? E tá todo mundo vendendo agora. E o meu preço é o melhor.
— Tá a fim de me enganar, rapaz, tá pensando que eu nasci ontem?
— Tudo bem, mas depois não vem atrás de mim, que eu não vou vender, não.

Empadinha caminhou um pouco e se voltou para o menino.

— Tá bom, tá bom, toma aqui o dinheiro.
— Vamos lá em casa que eu te dou o trabalho.

Era esplêndido o trabalho do menino. Empadinha ficou maravilhado com a Transamazônica que lhe aparecia descrita em letras juvenis em folhas de papel almaço: a extensão, o objetivo de ser criada, o dinheiro investido, os lugares por onde a estrada passaria, os conflitos e também a cultura do Estado do Amazonas, como a lenda da mãe-d'água, da serpente boitatá; a vida dos seringueiros, dos índios, as cachoeiras, os rios e as cascatas. Enfim, o trabalho tinha tudo o que faltava ao enredo.

— O moleque é bom, rapaz! Tem habilidade! Fez um trabalho de mestre, tem um monte de coisa aqui que não tinha no enredo. Agora não tem pra ninguém — disse Empadinha a Valdirene.

— Você vai fazer o samba quando?
— Já terminei, já terminei, olha só.

E cantou feliz:

"Vejam que beleza
A história que vamos contar
Sobre a Amazônia distante
Esse sertão fascinante
Terra igual a essa não há

Contam que a mãe-d'água
Dentro de sua lenda e tradição
Ao ver o pescador se aproximar
Cantava uma linda canção

No barulho das águas
Surge uma serpente
É o boitatá
Apavorando gente

Índio guerreiro, caçador
Seringueiro extraía a borracha
Vaqueiro cantava canções de amor

Hoje o progresso chegou
Dentro da cultura e expansão
Surge a Transamazônica
Orgulho de nossa nação."

— Mas fala muito pouco sobre a estrada...
— Mas, na reunião, o carnavalesco falou que era importante também falar sobre a Amazônia, mais importante do que a estrada.
— Por quê?
— Pra fazer as fantasias, é bom falar dos índios, dos seringueiros, vaqueiros, sabe qual é? O importante é que o samba tá pronto e agora é só gravar e mandar a fita pro corte.

Empadinha deixou a esposa, foi procurar Jorge do Cavaco, Dirceu do Repique e Celso do Tamborim para gravar o samba e mandar a fita para a diretoria avaliar.

Quarenta sambas foram cortados. Entre os dez que competiriam na quadra estavam o samba de Azeitona e o de Empadinha.

Empadinha chorou no dia do resultado, nenhum samba havia sido mais difícil de fazer do que aquele. Ficou tão feliz por não ter sido cortado que, no dia seguinte, foi à porta da escola procurar por Mauricinho, para lhe mostrar o samba e agradecer por lhe ter vendido o trabalho escolar.

Mauricinho escutou o samba atentamente e disse:

— Esse samba é de rima fácil, rima serpente com gente, distante com fascinante... A pesquisa foi mal usada, tá cheio de jargão! Samba exaltação digno do golpe de 64, samba pra emudecer a razão. Muito fraco! E pra que cantar a Transamazônica? Pra que cantar? Onde está a novidade das estradas, tirando a fuga, a esperança da partida e o inesperado do destino? Sempre numa estrada vai ser melhor a certeza da volta do que a esperança da partida, e, no entanto, criamos caminhos sem volta... Sabemos que a utopia é o fraco do humano e é ela que nos faz criar caminhos, que são tantos, que se cruzam, que se chocam... Caminhos que sempre fazem um humano querer voltar para casa, enquanto um outro quer sair... Caminhos que nos envelhecem, que matam nosso tempo! Caminhos que nos fazem abandonar o chão da infância... Deus me livre de ser um viajante, pois o viajante é aquele que chega anunciando a partida: tem pés que batem num chão, enquanto o coração, no chão de outro lugar.

Empadinha ficou surpreso com as observações de Mauricinho. Tentou argumentar alguma coisa, mas ficou sem palavras diante do rapazola, que continuava:

— Não fica assim, não. Eu tô brincando. Viajar é muito bom, a gente conhece gente nova, os pratos típicos de cada região, os costumes. Imagine a gente dentro da floresta amazônica, vendo os animais, os índios, o rio Amazonas e os seus afluentes, né? Viajar é bom.

— Não tô entendendo! Primeiro, você me diz que viajar é ruim, agora diz que é bom.

— Eu só coloquei dois pontos de vista, mas na verdade eu estou mesmo é muito puto com essa estrada...

— Por quê?

— Essa estrada está sendo criada pelo presidente Médici, esse assassino... Ééé... É mais um projeto-impacto dele... Eles acham que vão tentar integrar o Brasil abrindo estradas, que ela vai ser um modelo de assentamento do trabalhador rural, mas na verdade eles vão foder com tudo, porque a condição socioeconômica da população tá a pior possível! Tá uma violência danada pela posse de terra, entre os grileiros a serviço de poderosos interesses econômicos, posseiros e índios! E, além do mais, eles estão depredando tudo, não têm a mínima preocupação com o meio ambiente, e a escola de samba cantando como se fosse a melhor coisa do mundo. Um monte de alienado tecendo elogios pra uma coisa horrível dessas! Meu trabalho falava disso tudo, mas o senhor nem ligou e fez esse samba alienado.

— Que que é alienado?

— Sem nenhuma reflexão política, sem saber o que está por trás das coisas. Ficam um monte de bobões fazendo samba exaltação pra esse governo corrupto, assassino, enganador. Eu tenho vergonha de vocês.

Empadinha ficou com cara de palhaço triste, vendo Mauricinho se afastar com um monte de livro amarrado num cinto. Realmente o moleque tinha razão. Era o mais infeliz dos idiotas em cada passo que o levava de volta para casa. Um garoto... Um garoto que poderia ser seu filho estava mais por dentro das coisas do que ele. Sentiu a força do conhecimento, do estudo, sentiu também vontade de não desfilar, de retirar o samba da competição. "Será que poderia voltar a estudar? Teria cabeça para encarar os livros?"

Não. Mas não iria bater palmas para maluco dançar, não iria dar mole para o governo que quer que a escola venda uma boa imagem da porra da estrada. Entrou em casa e Valdirene foi logo perguntando:

— E aí, falou com o menino?

— Falei e não vou mais disputar o samba, não.

— Tá maluco? O que aconteceu?

— Eu não sou alienado!

— Que troço é esse de alienado, Empada? Você não trabalha, vive de biscate e do dinheiro que eu ganho... Vive em função de ganhar um samba-enredo pra gente sair desta merda, sofreu que nem uma vaca no matadouro pra fazer o samba e, agora que passou na eliminação da fita, me diz que não vai mais disputar! Que que esse menino te disse?

— Ele me disse que eu sou burro, que o meu samba só tem mentiras, que a Amazônia tá acabando, e o governo tá contribuindo com isso e que...

— Eu tô pouco me lixando com o diabo da Amazônia, eu quero uma casa em Lídice, eu quero sair desse morro!

— Desiste, mulher, eu não vou mais disputar.

— Então ruma logo um emprego, que eu não vou te sustentar mais, não!

Empadinha passou a tarde com a cabeça em profunda confusão. Se o enredo fosse a Bahia, tudo estaria resolvido, mas o carnavalesco de merda inventou um enredo de merda pra um governo de merda se beneficiar. A noite foi de insônia. O descobrimento de que era um alienado o maltratava, mas, se tirasse o samba da competição, teria que encarar um emprego, acabaria a boa vida de acordar a hora que bem entendesse, de não ter que aturar patrão, daria adeus ao jogo de futebol das três e meia da tarde, a sinuca das manhãs, o baseado de depois do almoço. Tinha uma mulher que o sustentava simplesmente pelo fato de ser artista, e, exatamente por isso, possuía a oportunidade de virar a vida de uma vez, mandando a miséria para a casa do chapéu, se seu samba fosse campeão.

Às cinco da manhã resolveu esquecer o diabo da alienação e seguir em frente na disputa. Saiu cedo e comprou mil folhas de papel para rodar a letra no mimeógrafo. Passou a semana cantando o samba nas biroscas do morro, foi à casa dos amigos, dizendo que pagaria a cerveja se eles cantassem o samba na hora do vamos ver. Prometeu dinheiro ao mestre da bateria para que ele a comandasse com mais afinco na hora de sua apresentação. Tudo isso contava muito na decisão do júri: bateria afinada e empolgação na quadra.

E, assim, o samba de Empadinha foi passando nas eliminatórias até chegar à final, justamente com o samba de Azeitona.

Empadinha e Azeitona eram amigos de infância, andavam sempre juntos e por isso ganharam esse apelido. Azeitona o levou a compor e com ele fez os seus primeiros sambas, mas, por causa de brigas no futebol, estavam de relações cortadas havia mais de seis meses e, além do mais, sempre houve certa rivalidade entre os dois. O pior era que sentia que o samba de Azeitona vinha empolgando mais os componentes da escola, porque realmente era melhor, mais bem-acabado, mais ritmado e com letra mais profunda. Não havia jeito de ganhar. Teria de arrumar um jeito para derrubar o rival, que na certa olharia para ele, dizendo com os olhos: "Tá vendo, seu otário? Sou melhor que você." Isso lhe doeria mais do que perder a grana que receberia caso fosse campeão.

No dia antes da disputa final, foi bem cedinho à casa de Azeitona.

— Que que você quer?

— Olha aqui, Azeitona, a gente sempre foi irmão, sempre compôs juntos, e agora a gente tá aí, disputando uma final de samba-enredo brigados, sem se falar. Eu vim aqui dizer que eu gosto tanto de você que, se eu perder, vai ser uma honra... Se você ganhar, eu também vou me sentir campeão. Queria te dizer que eu tenho sentido muito a sua falta. E, agora que a gente vai competir aí, eu queria fazer as pazes contigo. Eu quero retomar a amizade, antes da gente ir para a quadra de samba.

— Que bom, Empadinha, eu queria te falar a mesma coisa, tava era sem coragem, pensando que você iria me virar a cara.

Os dois se abraçaram longamente e depois Empadinha convidou:

— Então é o seguinte: vamos almoçar lá em casa amanhã. Vou mandar a mulher fazer uma buchada de bode.

— Pode mandar fazer que eu vou lá.

O povo da escola ficou surpreso quando Azeitona disse que estava indo para a casa de Empadinha pegar a bóia.

— Que espírito esportivo, espírito de competição! Que coisa bonita! Que demonstração de amizade! — falavam.

Por volta das 13 horas, Azeitona chegou para o almoço. Beberam cerveja e batida de limão, cantaram os seus velhos sambas. Valdirene serviu a comida e teve que insistir para os dois sentarem para comer, eles não paravam de cantar, de se abraçar e de brindar a amizade a todo instante.

Por fim, começaram a comer com muito apetite, mas logo depois Azeitona começou a passar mal e, em seguida, Empadinha. Os dois tiveram o mesmo tipo de convulsão. Valdirene chamou os vizinhos para ajudar a levar os dois para o hospital, onde chegaram mortos.

Depois da autópsia, o pessoal ficou surpreso com a causa mortis de ambos: parada cardíaca por envenenamento. Mas tudo ficou esclarecido quando o enfermeiro trouxe dois vidros de ratofudex que encontrara no bolso de cada um: veneno fulminante para ratos.

RONALDO BRESSANE

Nervos.

Do livro *Os infernos possíveis*, publicado
pela editora Com-Arte em 1999.

> *Eu só sei que quando a vejo*
> *me dá um desejo de morte ou de dor.*
> [Lupiscínio Rodrigues]

Você sabe o que é ter um amor, meu senhor? Arílton chegou e esguelhou a mulher largada de fianco num fiapo de cama — sem coragem de encarar o corpo deformado de fome. Os ossos pareciam dedos apontando culpas, cobranças: olha o esqueleto em que você me deixou, puto. Na lua-de-mel, ela tão diferente das mulatas gostosonas da vila, lombriga orgulhosa, de brincadeira a tinha apelidado de "Miss Etiópia"; nunca minhocou que pudesse dar nisso. Pele e osso. O estômago lhe comia a estima, se desfazia em lágrimas sem sal pela cara: *você sabe o que é ter um amor, meu senhor?*

Fechou a porta do barraco. A mulher dormia, sem força para puxá-la para fora do sono de sonhos órfãos. Ele, seu homem, dos mundos que tinha prometido só sobraram os cheques sem fundos. E um jornal amarelo tirado da camisa suja — o guia de empregos. Leu, revirou, mas suas mãos, inadimplentes, zonzeavam pelas funções das páginas sem achar rima ou sinal: maquinista, encanador, frentista, vendedor, balconista. Nada vezes nada, nisso era douto. A cabeça doía. Como sair, pé-rapado e carteira em pêlo, mendigar um trabalho? Primário incompleto, boa aparência nem pensar, não era da idade certa, todos os documentos em desordem, parente importante ou amigos influentes esqueça. Arílton era uma ilha rodeada de zeros por todos os lados. E a fome mastigando — o buraco negro dentro fazendo aquele barulho de privada quando se dá a descarga. *Você sabe o que é ter um amor, meu senhor? Ter loucura por uma mulher?*

Uma barata ia passando — o único movimento no barraco isolado de todos os domingos. Ia passeando a barata, tempos em tempos, antenando qualquer resquício comível. Viagem inútil. Olho no inseto, Arílton não sentia nojo; compaixão, quem sabe. O marrom ambulante lembrava os sapatos do casamento, lustrosos, promissores. Tinha batido neles pelas ruas até arrancar as solas. O terno, vendeu. A aliança, empenhou. O bolo, arrotou. O vestido de noiva virou a cortina de uma vizinha. E até a barata foi embora — lenta, lateral, asas nos bolsos, envergonhada de entrar num lugar tão clandestino de pão. O barraco voltou a ser suspenso. Você sabe? Por acaso você sabe?

Ajudante, auxiliar, assistente. Arílton se coçava, se cavava, impávido destroço: pra que servia? Em suas veias só ralavam dízimas — e ainda assim, periódicas. Escriturário, vigilante, lixeiro, guardete, enfermeiro, garçom, motoqueiro, recepcionista, meio oficial, pintor. Viveu até hoje foi de teima, de orgulho, de acaso. Seu fazer era um abismo. Seu mistério, viver em queda livre. Absolutamente livre? Ali, encompridada na cama, o *y* da questão, a esfinge de vidro, o espelho em que não fazia a barba toda manhã, delatando o perdedor em tempo integral, fracassado com carteira assinada. Torneiro mecânico, técnico de processos, fresador, ferramenteiro. Sem unhas, suavemente, quase espírito, suas mãos perseguiam um emprego feito barata atrás de resto. Guarda-costas, salva-vidas, bate-estacas. Não sabia até onde iria, até que ponto agüentaria. O que o estraçalhava: entender como chegou a esse vexame. E por que ela nunca tinha largado dele? Por que a desgraçada sempre junto, acompanhando, enchendo seu prato de esperança, temperada com fé, amplificando, com seu amor, seu fracasso? Ora, a fé! Fresador, cronoanalista, lemista, caldeireiro, sondador, clicherista, conferente, extrusor. Coisas que, de tão complicadas, perfaziam sua cabeça em fumacinhas. O rosto da mulher dormindo era a coisa mais linda desse mundo — isso ele entendia, simples. Mas era uma boca. E vísceras, e miolos, e cabelos. Soltos numa enxurrada de maus pensamentos. Murchos peitos, miúda bunda, tísica buceta. *Há pessoas com nervos de aço, sem sangue nas veias, sem coração. Você sabe o que é ter um amor, meu senhor?*

Armador. Conciliador. Mandrilhador. Retificador. Desossador. Desossador. Desossador. Precisa-se, sem experiência. Mais nada. Sim. Isso ele era: toda inexperiência que existe. Ali havia uma ocupação! Conferiu a rua, o número.

Perto, dava pra ir a pé, sem precisar pegar ônibus. Ofereciam mínimos; ótimo. Devia ser fácil, com um pouquinho de prática. Quem sabe ainda não tinham preenchido a vaga? Olhou a mulher, trêmulo, menino precisado de empurrãozinho. Andou até ela. Chegou de joelhos, silencioso. Tocou-a, leve, nas costas.

Frias. A mão gelada. Os lábios duros. Duro, o corpo todo. O corpo todo osso — pronto pro desuso, para a última embalagem. Ela não roncava mais — nem de fome. A garganta dele se partiu em duas. Precisava de um cigarro.

Abriu os olhos e a janela. Quanto tempo sem fumar um cigarro do próprio bolso? Algum bando de filhos-da-puta batucavam um pagode ali perto, ainda tinha que ouvir isso. Mas, por trás dos escuros, de fora e de dentro, nascia a lua cheia, imensa de dragões, alva. Pura. Perfeita — óssea.

Arílton assobiou ainda uma vez o velho samba que não saía da cabeça — por que só lembrava do comecinho? —; ele sabia. Doessem a cabeça, o estômago, o peito; mas isso, sim, ele sabia. Virou a mulher de frente, pernas e braços e olhos escancarados: pálida miração florada de veias roxas. *Há pessoas com nervos de aço* — ele era assim. Desossador. Uma ocupação, um adjetivo só seu, afinal. Devia ser fácil, com um pouquinho de prática. Alcançou a faca na pia. *Você sabe o que é ter um amor, meu senhor?*

[Inverno, 1997.]

RUBEM FONSECA

Feliz ano novo

Do livro *Feliz ano novo*, publicado
pela editora Artenova em 1975.

Vi na televisão que as lojas bacanas estavam vendendo adoidado roupas ricas para as madames vestirem no réveillon. Vi também que as casas de artigos finos para comer e beber tinham vendido todo o estoque.

Pereba, vou ter que esperar o dia raiar e apanhar cachaça, galinha morta e farofa dos macumbeiros.

Pereba entrou no banheiro e disse, que fedor.

Vai mijar noutro lugar, tô sem água.

Pereba saiu e foi mijar na escada.

Onde você afanou a TV?, Pereba perguntou.

Afanei porra nenhuma. Comprei. O recibo está bem em cima dela. Ô Pereba! você pensa que eu sou algum babaquara para ter coisa estarrada no meu cafofo?

Tô morrendo de fome, disse Pereba.

De manhã a gente enche a barriga com os despachos dos babalaôs, eu disse, só de sacanagem.

Não conte comigo, disse Pereba. Lembra do Crispim? Deu um bico numa macumba aqui na Borges de Medeiros, a perna ficou preta, cortaram no Miguel Couto e tá ele aí, fudidão, andando de muleta.

Pereba sempre foi supersticioso. Eu não. Tenho ginásio, sei ler, escrever e fazer raiz quadrada. Chuto a macumba que quiser.

Acendemos uns baseados e ficamos vendo a novela. Merda. Mudamos de canal, prum bangue-bangue. Outra bosta.

As madames granfas tão todas de roupa nova, vão entrar o ano novo dançando com os braços pro alto, já viu como as branquelas dançam?

Levantam os braços pro alto, acho que é pra mostrar o sovaco, elas querem mesmo é mostrar a boceta mas não têm culhão e mostram o sovaco. Todas corneiam os maridos. Você sabia que a vida delas é dar a xoxota por aí?

Pena que não tão dando pra gente, disse Pereba. Ele falava devagar, gozador, cansado, doente.

Pereba, você não tem dentes, é vesgo, preto e pobre, você acha que as madames vão dar pra você? Ô Pereba, o máximo que você pode fazer é tocar uma punheta. Fecha os olhos e manda brasa.

Eu queria ser rico, sair da merda em que estava metido! Tanta gente rica e eu fudido.

Zequinha entrou na sala, viu Pereba tocando punheta e disse, que é isso Pereba?

Michou, michou, assim não é possível, disse Pereba.

Por que você não foi para o banheiro descascar sua bronha?, disse Zequinha.

No banheiro tá um fedor danado, disse Pereba.

Tô sem água.

As mulheres aqui do conjunto não estão mais dando?, perguntou Zequinha.

Ele tava homenageando uma loura bacana, de vestido de baile e cheia de jóias.

Ela tava nua, disse Pereba.

Já vi que vocês tão na merda, disse Zequinha.

Ele tá querendo comer restos de Iemanjá, disse Pereba.

Brincadeira, eu disse. Afinal, eu e Zequinha tínhamos assaltado um supermercado no Leblon, não tinha dado muita grana, mas passamos um tempão em São Paulo na boca do lixo, bebendo e comendo as mulheres. A gente se respeitava.

Pra falar a verdade a maré também não tá boa pro meu lado, disse Zequinha. A barra tá pesada. Os homens não tão brincando, viu o que fizeram com o Bom Crioulo? Dezesseis tiros no quengo. Pegaram o Vevé e estrangularam. O Minhoca, porra! O Minhoca! crescemos juntos em Caxias, o cara era tão míope que não enxergava daqui até ali, e também era meio gago — pegaram ele e jogaram dentro do Guandu, todo arrebentado.

Pior foi com o Tripé. Tacaram fogo nele. Virou torresmo. Os homens não tão dando sopa, disse Pereba. E frango de macumba eu não como.

Depois de amanhã vocês vão ver.

Vão ver o quê?, perguntou Zequinha.

Só tô esperando o Lambreta chegar de São Paulo.

Porra, tu tá transando com o Lambreta?, disse Zequinha.

As ferramentas dele estão todas aqui.

Aqui?, disse Zequinha. Você tá louco.

Eu ri.

Quais são os ferros que você tem?, perguntou Zequinha.

Uma Thompson lata de goiabada, uma carabina doze, de cano serrado, e duas Magnum.

Puta que pariu, disse Zequinha. E vocês montados nessa baba tão aqui tocando punheta?

Esperando o dia raiar para comer farofa de macumba, disse Pereba. Ele faria sucesso falando daquele jeito na TV, ia matar as pessoas de rir.

Fumamos. Esvaziamos uma pitu.

Posso ver o material?, disse Zequinha.

Descemos pelas escadas, o elevador não funcionava, e fomos no apartamento de dona Candinha. Batemos. A velha abriu a porta.

Dona Candinha, boa noite, vim apanhar aquele pacote.

O Lambreta já chegou?, disse a preta velha.

Já, eu disse, está lá em cima.

A velha trouxe o pacote, caminhando com esforço. O peso era demais para ela. Cuidado, meus filhos, ela disse.

Subimos pelas escadas e voltamos para o meu apartamento. Abri o pacote. Armei primeiro a lata de goiabada e dei pro Zequinha segurar. Me amarro nessa máquina, tarratátátátá!, disse Zequinha.

É antiga mas não falha, eu disse.

Zequinha pegou a Magnum. Jóia, jóia, ele disse. Depois segurou a doze, colocou a culatra no ombro e disse: ainda dou um tiro com esta belezinha nos peitos de um tira, bem de perto, sabe como é, pra jogar o puto de costas na parede e deixar ele pregado lá.

Botamos tudo em cima da mesa e ficamos olhando.

Fumamos mais um pouco.

Quando é que vocês vão usar o material?, disse Zequinha.

Dia 2. Vamos estourar um banco na Penha. O Lambreta quer fazer o primeiro gol do ano.

Ele é um cara vaidoso, disse Zequinha.

É vaidoso mas merece. Já trabalhou em São Paulo, Curitiba, Florianópolis, Porto Alegre, Vitória, Niterói, para não falar aqui no Rio. Mais de trinta bancos.

É, mas dizem que ele dá o bozó, disse Zequinha.

Não sei se dá, nem tenho peito de perguntar. Pra cima de mim nunca veio com frescuras.

Você já viu ele com mulher?, disse Zequinha.

Não, nunca vi. Sei lá, pode ser verdade, mas que importa?

Homem não deve dar o cu. Ainda mais um cara importante como o Lambreta, disse Zequinha.

Cara importante faz o que quer, eu disse.

É verdade, disse Zequinha.

Ficamos calados, fumando.

Os ferros na mão e a gente nada, disse Zequinha.

O material é do Lambreta. E aonde é que a gente ia usar ele numa hora destas?

Zequinha chupou ar fingindo que tinha coisas entre os dentes. Acho que ele também estava com fome.

Eu tava pensando a gente invadir uma casa bacana que tá dando festa. O mulherio tá cheio de jóia e eu tenho um cara que compra tudo o que eu levar. E os barbados tão cheios de grana na carteira. Você sabe que tem anel que vale cinco milhas e colar de 15, nesse intruja que eu conheço? Ele paga na hora.

O fumo acabou. A cachaça também. Começou a chover.

Lá se foi a tua farofa, disse Pereba.

Que casa? Você tem alguma em vista?

Não, mas tá cheio de casa de rico por aí. A gente puxa um carro e sai procurando.

Coloquei a lata de goiabada numa saca de feira, junto com a munição. Dei uma Magnum pro Pereba, outra pro Zequinha. Prendi a carabina no cinto, o cano pra baixo e vesti uma capa. Apanhei três meias de mulher e uma tesoura. Vamos, eu disse.

Puxamos um Opala. Seguimos para os lados de São Conrado. Passamos várias casas que não davam pé, ou tavam muito perto da rua ou tinham gente demais. Até que achamos o lugar perfeito. Tinha na frente um jardim grande e a casa ficava lá no fundo, isolada. A gente ouvia barulho de música de carnaval, mas poucas vozes cantando. Botamos as meias na cara. Cortei com a tesoura os buracos dos olhos. Entramos pela porta principal.

Eles estavam bebendo e dançando num salão quando viram a gente.

É um assalto, gritei bem alto, para abafar o som da vitrola. Se vocês ficarem quietos ninguém se machuca. Você aí, apaga essa porra dessa vitrola!

Pereba e Zequinha foram procurar os empregados e vieram com três garçons e duas cozinheiras. Deita todo mundo, eu disse.

Contei. Eram vinte e cinco pessoas. Todos deitados em silêncio, quietos, como se não estivessem sendo vistos nem vendo nada.

Tem mais alguém em casa?, eu perguntei.

Minha mãe. Ela está lá em cima no quarto. É uma senhora doente, disse uma mulher toda enfeitada, de vestido longo vermelho. Devia ser a dona da casa.

Crianças?

Estão em Cabo Frio, com os tios.

Gonçalves, vai lá em cima com a gordinha e traz a mãe dela.

Gonçalves?, disse Pereba.

É você mesmo. Tu não sabe mais o teu nome, ô burro?

Pereba pegou a mulher e subiu as escadas.

Inocêncio, amarra os barbados.

Zequinha amarrou os caras usando cintos, fios de cortinas, fios de telefones, tudo que encontrou.

Revistamos os sujeitos. Muito pouca grana. Os putos estavam cheios de cartões de crédito e talões de cheques. Os relógios eram bons, de ouro e platina. Arrancamos as jóias das mulheres. Um bocado de ouro e brilhante. Botamos tudo na saca.

Pereba desceu as escadas sozinho.

Cadê as mulheres?, eu disse.

Engrossaram e eu tive que botar respeito.

Subi. A gordinha estava na cama, as roupas rasgadas, a língua de fora. Mortinha. Pra que ficou de flozô e não deu logo? O Pereba tava atrasado. Além de fudida, mal paga. Limpei as jóias. A velha tava no corredor, caída no chão. Também tinha batido as botas. Toda penteada, aquele cabelão armado, pintado de louro, de roupa nova, rosto encarquilhado, esperando o ano novo, mas já tava mais pra lá do que pra cá. Acho que morreu de susto. Arranquei os colares, broches e anéis. Tinha um anel que não saía. Com nojo, molhei de saliva o dedo da velha, mas mesmo assim o anel não saía. Fiquei puto e dei uma dentada, arrancando o dedo dela. Enfiei tudo dentro de uma fronha. O quarto da gordinha tinha as paredes forradas de couro. A banheira era um buraco quadrado grande de mármore branco, enfiado no chão. A parede toda de espelhos. Tudo perfumado. Voltei para o quarto, empurrei a gordinha para o chão, arrumei a colcha de cetim da cama com cuidado, ela ficou lisinha, brilhando. Tirei as calças e caguei em cima da colcha. Foi um alívio, muito legal. Depois limpei o cu na colcha, botei as calças e desci.

Vamos comer, eu disse, botando a fronha dentro da saca.

Os homens e mulheres no chão estavam todos quietos e encagaçados, como carneirinhos. Para assustar ainda mais eu disse, o puto que se mexer eu estouro os miolos.

Então, de repente, um deles disse, calmamente, não se irritem, levem o que quiserem não faremos nada.

Fiquei olhando para ele. Usava um lenço de seda colorida em volta do pescoço.

Pode também comer e beber à vontade, ele disse.

Filha-da-puta. As bebidas, as comidas, as jóias, o dinheiro, tudo aquilo para eles era migalha. Tinham muito mais no banco. Para eles, nós não passávamos de três moscas no açucareiro.

Como é seu nome?

Maurício, ele disse.

Seu Maurício, o senhor quer se levantar, por favor?

Ele se levantou. Desamarrei os braços dele.

Muito obrigado, ele disse. Vê-se que o senhor é um homem educado, instruído. Os senhores podem ir embora, que não daremos queixa à polícia. Ele disse isso olhando para os outros, que estavam quietos apavorados no chão, e fazendo um gesto com as mãos abertas, como quem diz, calma minha gente, já levei este bunda suja no papo.

Inocêncio, você já acabou de comer? Me traz uma perna de peru dessas aí. Em cima de uma mesa tinha comida que dava para alimentar o presídio inteiro. Comi a perna de peru. Apanhei a carabina doze e carreguei os dois canos.

Seu Maurício, quer fazer o favor de chegar perto da parede?

Ele se encostou na parede.

Encostado não, não, uns dois metros de distância. Mais um pouquinho para cá. Muito obrigado.

Atirei bem no meio do peito dele, esvaziando os dois canos, aquele tremendo trovão. O impacto jogou o cara com força contra a parede. Ele foi escorregando lentamente e ficou sentado no chão. No peito dele tinha um buraco que dava para colocar um panetone.

Viu, não grudou o cara na parede, porra nenhuma.

Tem que ser na madeira, numa porta. Parede não dá, Zequinha disse.

Os caras deitados no chão estavam de olhos fechados, nem se mexiam. Não se ouvia nada, a não ser os arrotos do Pereba.

Você aí, levante-se, disse Zequinha. O sacana tinha escolhido um cara magrinho, de cabelos compridos.

Por favor, o sujeito disse, bem baixinho.

Fica de costas para a parede, disse Zequinha.

Carreguei os dois canos da doze. Atira você, o coice dela machucou o meu ombro. Apóia bem a culatra senão ela te quebra a clavícula.

Vê como esse vai grudar. Zequinha atirou. O cara voou, os pés saíram do chão, foi bonito, como se ele tivesse dado um salto para trás. Bateu com estrondo na porta e ficou ali grudado. Foi pouco tempo, mas o corpo do cara ficou preso pelo chumbo grosso na madeira.

Eu não disse? Zequinha esfregou o ombro dolorido. Esse canhão é foda.

Não vais comer uma bacana destas?, perguntou Pereba.

Não estou a fim. Tenho nojo dessas mulheres. Tô cagando pra elas. Só como mulher que eu gosto.

E você... Inocêncio?

Acho que vou papar aquela moreninha.

A garota tentou atrapalhar, mas Zequinha deu uns murros nos cornos dela, ela sossegou e ficou quieta, de olhos abertos, olhando para o teto, enquanto era executada no sofá.

Vamos embora, eu disse. Enchemos toalhas e fronhas com comidas e objetos.

Muito obrigado pela cooperação de todos, eu disse. Ninguém respondeu.

Saímos. Entramos no Opala e voltamos para casa.

Disse para o Pereba, larga o rodante numa rua deserta de Botafogo, pega um táxi e volta. Eu e Zequinha saltamos.

Este edifício está mesmo fudido, disse Zequinha, enquanto subíamos, com o material, pelas escadas imundas e arrebentadas.

Fudido mas é Zona Sul, perto da praia. Tás querendo que eu vá morar em Nilópolis?

Chegamos lá em cima cansados. Botei as ferramentas no pacote, as jóias e o dinheiro na saca e levei para o apartamento da preta velha.

Dona Candinha, eu disse, mostrando a saca, é coisa quente.

Pode deixar, meus filhos. Os homens aqui não vêm.

Subimos. Coloquei as garrafas e as comidas em cima de uma toalha no chão. Zequinha quis beber e eu não deixei. Vamos esperar o Pereba.

Quando o Pereba chegou, eu enchi os copos e disse, que o próximo ano seja melhor. Feliz ano novo.

SÉRGIO FANTINI

Suíte bar

Três contos do livro *Materiaes*, publicado
pela Edições Dubolso em 2000.

* * *

Eu esfriava meus cotovelos no balcão quando três meninos entraram quase correndo. Cheguei a me retesar, medo de assalto. Eles estacionaram ao meu lado. O que parecia mais excitado sentou de costas pra mim e os outros ficaram atrás dele. Girei meu corpo de modo a vê-los com o canto do olho. Palitei um pedaço de dobradinha e olhei pro relógio na parede do fundo. Aproveitei pra estudar os tipos.

Não pareciam perigosos, em detalhe. Estavam apenas malvestidos. Provavelmente, garotos de periferia fazendo farra no Centro. O que se sentou ao meu lado usava boné vermelho, o próximo estava de jaqueta de plástico branca, o terceiro ficou oculto pelo segundo. Voltei à minha cerveja.

Me dá uma aí, gritou o Boné Vermelho.

O cara veio trazendo uma loura.

Não tem preta?

Puto, deu meia volta no pequeno espaço que o balcão lhe deixava e caminhou pro freezer.

A chuvinha fina continuava. No passeio, duas adolescentes louras pararam sob o orelhão. Uma carregava um embrulho que devia conter um bebê e a outra, olhando pros lados, parecia ansiosa. Esta, mais novinha, falava ao telefone. A do bebê tinha bunda grande, arrebitada. Os homens, no fim da fila de ônibus, cansados, molhados, também perceberam que ela era melhorzinha. Às vezes um despistava olhando pra dentro do bar.

Quer mais?, perguntou o Jaqueta.

Olhei sem precaução. Ele segurava o cigarro com uma longa cinza sobre o copo do Boné.

Não, acho que tá bom.
Mas só isso não vai dar barato, cara, tem que misturar bastante cinza!
O Boné resistiu:
Eu já pus muito sal, malandro, assim eu vou ficar doidão demais.
Aí é que é bom! A gente já chega lá detonando!
Então tá, só mais essa.
A cinza ficou boiando na espuma marrom da cerveja.
Também não posso exagerar, senão a mina é que vai me detonar.
Será que ela já tá no ponto?, o Terceiro, que continuava escondido atrás do Jaqueta. Eu só via sua mão, quando ela buscava o copo.
O Boné tirou um cartão telefônico e olhou pra fora:
Você podia dar uma conferida.
O Terceiro passou bem atrás de mim, e ainda assim não consegui vê-lo.
E diz pra ela que eu já tô indo, ele completou e, em seguida, baixinho, olhando pra mim:
Hoje eu como ela.
Ele jogou umas moedas no balcão e pediu mais uma. Olhei pra fora. As louras continuavam telefonando. A Mais Gostosa agora estava com o fone e a Mais Nova carregava a criança, que continuava invisível, um embrulho de pano. Dois velhos, protegidos pela marquise, olhavam pra dentro do bar. Nisso, passou uma mulher de malha escura colada ao corpo bem desenhado, um mulherão. Eles a acompanharam com os olhos gulosos, e eu também fiz isso. O cara do bar e os moleques também. Acho que tivemos a mesma sensação, seu jeito de andar, seu cabelo bem penteado, seus peitos balançando... tudo nela dizia: eu estou pronta, garotos, podem vir! Nenhum de nós foi.
Vamos pegar três latinhas e aí a gente vai bebendo no ônibus, sugeriu o Jaqueta, ansioso pra ir embora.
Espera, malandro. Vamos matar essa, lá no morro tem mais.
O Terceiro entrou: vestia uma camiseta amarela, gotas escorrendo da careca:
O ônibus tá chegando, vão'bora!
Eles deram um jeito de esvaziar os copos e a garrafa em um segundo, e saíram correndo.
Eu olhei pra rua e os vi trombando em alguém na calçada cheia. As adolescentes louras continuavam no orelhão. Agora, era a Mais Nova que falava, e a criança estava com a Gostosinha.

Matei minha cerveja; a porção de dobradinha parecia uma crosta, pedras enfiadas na lama. Paguei a conta e saí. Os velhos estavam pra entrar no ônibus. As lourinhas terminaram a ligação e se adiantaram na mesma direção em que eu iria. Pensei se valeria a pena segui-las por uns metros namorando mais um pouco aquelas bundas juvenis. Conferi a hora: já estava atrasado. Aproveitei o sinal aberto e atravessei a avenida fora da faixa, a chuva, a chuva da noitinha tilintando no chapéu.

* * *

Tudo depunha contra minha permanência naquele bar. A música, a cerveja, as pessoas. Já era tarde demais, eu estava nas últimas. Quase dormindo, pedi mais uma. Desceu em ziguezague, queimando dentro. Aquela realmente não era minha noite. A carne cozida tinha muita gordura; aliás, as almôndegas boiavam numa estranha gelatina alaranjada. Eu estava perto do fogareiro, de onde saía uma fumaça horrível, espessa. E perto do desespero. Dulindo e Teodolito no balcão miravam seus respectivos copos, as costas curvas, cansados. Não diziam nada, apenas se deixavam ali como continuações de seus banquinhos. Tomazinho babava pra TV sobre a geladeira velha. Aquela noite ia longe...
Energia, bicho, energia pura, foi o que Pata gritou do outro lado da rua. Olhei de banda, o doidão dançava. Tinha um pacote de vinis na mão e pulava do passeio pra rua e de volta pro passeio. Acompanhei aquilo por uns dois minutos, cansei e voltei meus olhos pro interior do bar, que já abrigava mais três garotos. Sentaram no salão e pediram guaraná e pinga. Em meia hora eles já tinham mandado também quatro cervejas. Bons aqueles caras. Um deles gritou qualquer coisa sobre a música. A mulher de Tomazinho ligou o rádio. Aí, Dulindo se levantou e o desligou. Cada um, do seu canto, acompanhou a cena: o menino veio xingando "filhodaputa" e, antes de eu conseguir me levantar, partiram pra porrada. Tranqüilo, Tomás contornou a situação pondo os dois pra fora. "Se há proprietário que tem meu respeito, é o de bar", panfletei pra ninguém. Afinal, quem se preocupa tanto em deixar tanta bebida sempre tão perto de mim?
Quando um carro de polícia estacionou, eu não tive dúvida: a noite estava definitivamente perdida. Mas não foi tão ruim: eles comeram ovos

cozidos e tomaram refrigerantes. Simpáticos, apesar das mortes penduradas na cintura.

Agora, o bar se movimentava um pouco. Pelos gritos, percebia-se que rolava um truco no salão. E eu continuava cultivando uma mulher no meu espírito, quando notei que um dos três garotos me olhava esquisito. "Meu Deus, uma cantada duas da manhã", era só o que me faltava. Ele olhava, olhava... olhos empapuçados, cabelos na testa... E se levantou. E caminhou na minha direção. E tirou o cigarro da minha boca. E jogou o meu cigarro na rua! E eu lhe dei um chute no saco. Ele voltou pra sua turma, gemendo. Ninguém fez nada. O pessoal sabe quando estou triste.

* * *

Era uma noite com medo. A única luz, além da que vinha do poste, era a da lua. Tudo dormia. O cachorro tentava se esconder sob um carro parado ali, parado há meses, já depenado. Era uma noite quente com medo.
Meus olhos irritados viam pouco. Nem até as próximas esquinas, acho que só até a metade do quarteirão. Eu estava sentado na porta do bar, fechado há horas. Eu estava sozinho, e meus olhos... eu os imaginava vermelhos como os de um vampiro.
No momento em que o cachorro ganiu baixinho sob o carro abandonado, eu me senti seu irmão. Abaixei a cabeça, que irmão era aquele?, queria que ele contasse comigo. Por isso, senti uma pontada no fígado, ou em outra coisa dentro de mim. Ela havia dito que não me queria mais e esta era minha única certeza.
Ela não queria mais saber de mim.
Era uma noite com medo e eu não tinha nem aquele vira-latas como companhia. O bar fechara muito cedo e ninguém ficou comigo. E eu não tinha pra onde ir.
O beco à minha frente levava a lugar nenhum; à esquerda, o trajeto do ônibus; à direita, a possibilidade de dormir na zona; pela rua atrás de mim, o primeiro dos sete quarteirões até meu barraco.
Onde ela não poderia estar e onde eu não estava.
Acendi o último cigarro e tentei me levantar. Caí sobre o carro. Um barulho seco. O cachorro fugiu assustado e eu só o vi um segundo antes de

sumir na solidão de um lote vago. Senti pena de mim por estar mais sozinho ainda. Cambaleei até o outro lado da rua e me abracei ao poste.

Chorei um pouco, abraçado ao poste, naquela noite com medo e quente.

Cochilei abraçado ao poste, e despertei com o som de passos apressados. Demorei um pouco até localizá-los. Contornei o poste, abraçado a ele, e focalizei seus saltos descendo a rua. Ela quase corria. Fiz um gesto sem sentido, ela virou o rosto pra trás.

Assustados, seus olhos grandes se cravaram nos meus, miúdos, úmidos. Seu corpo parecia tremer sob o vestido leve, curto, de alças. Eu dei um passo em sua direção e ela começou a correr para as trevas, pulando as poças. Eu acho que gritei:

Por favor, não me abandone!

Mas ela continuou e eu já não via mais nada. Senti apenas o vazio e a bebida dentro de mim, os dois querendo escapar daquela situação ridícula em que eu os metera. Escorei de novo no poste e não consegui chorar mais um pouco.

Tudo a fazer era voltar pro barraco. Voltei. Foram os sete quarteirões mais tristes que já andei. Mas eu não podia passar o resto da noite na rua nem o resto da vida me lamentando abraçado a um poste.

O portão estava aberto; o corredor, muito estreito; a porta, encostada; a luz do banheiro, acesa.

Sem me lembrar se tinha trancado a casa antes de sair, fui conferir se eu mesmo deixara a luz acesa o dia todo. Trombando nas paredes, derrubei seu painel de fotografias. Não me permiti olhar, o momento exigia concentração.

Ela estava sentada na privada, nua, calcinha arriada, cabeça nos joelhos, entre os dedos uma guimba apagada e uma revista no colo. Dormia, e roncava suave.

Eu estava triste demais pra entender que merda acontecera. Sentei no chão frio, tirei o chapéu ainda molhado e olhando suas canelas lisas em poucos minutos apaguei também.

WANDER PIROLI

Lá no morro

Do livro *A mãe e o filho da mãe*, publicado pela
Imprensa Oficial de Minas Gerais em 1966.

Avistei-o subindo o morro. Mamãe estava junto ao fogareiro. Corri alarmado para avisá-la: "Papai envém aí." Ela me espetou os olhos apagados e os lábios se moveram lentamente. Não disse nada.

Papai atravessou a porta em silêncio e ao invés de chutar o tamborete arredou-o de leve. Observou-me num relance. Depois olhou mamãe que estava de costas, e deixou-se cair no tamborete. A cabeça pendeu sobre o caixote como se se tivesse desprendido do corpo. Não exalava cachaça, desta vez. Surpreendi-me avançando na sua direção. Parei perto do caixote com as pernas trêmulas, e antes que eu percebesse meus dedos já tocavam o ombro de papai.

Mamãe permanecia imóvel junto ao fogareiro, como se esperasse que a mão pesada a atingisse a qualquer momento. Angustiava-me um sentimento doloroso por papai: era como se o estivesse descobrindo sob a camada de violência, e agora ali restasse não apenas meu pai, mas a própria criatura humana na sua dimensão essencial e indestrutível. Olhei para mamãe. E gritei-lhe desesperadamente "Mamãe!" sem que ao menos tivesse necessidade de abrir a boca.

Afinal, mamãe se voltou com o prato de comida e viu minha mão pousada no ombro de papai. Colocou o prato no caixote, perto da cabeça de papai. Ele continuou quieto, a respiração funda e descompassada. Mamãe acendeu a lamparina, e a claridade arredou as primeiras sombras da tarde para os cantos do cômodo. Em seguida, mamãe preparou a minha marmita e por último o seu prato e ambos nos sentamos, eu no chão e ela no outro tamborete.

O arfar intenso de papai doía no silêncio. Olhei mamãe. Mamãe me olhou e disse:

— Come.

Depois fitou papai, de esguelha, e levou até à boca uma pequena porção de arroz. Mas teve logo que deixar o garfo de lado para conter o acesso de tosse com a mão. Papai então levantou a cabeça, encarou-a com os lábios abertos. Seu rosto estava molhado do suor. Abaixou os olhos para mim, fungando, e deixou a cabeça pender novamente sobre o caixote.

Ouvimos passos no quintal. Três homens saltaram dentro do barraco e um deles arrancou a cortina que dividia o cômodo. Antes que o coração me socasse o peito e mamãe imobilizasse o garfo e papai erguesse a cabeça, tiraram-no do tamborete, torcendo-lhe os braços.

Papai não tentou reagir, sequer parecia surpreso. Era como se já estivesse esperando aquele momento. Nem ao menos olhou para os homens que o subjugavam. Fitava apenas mamãe, imóvel e fria do outro lado do caixote. Um dos homens levantou o punho e bateu-lhe seguidamente na cara. Com a boca ensangüentada, recebia as pancadas sem tirar os olhos de mamãe.

Levaram-no, os braços presos às costas. Os socos continuavam no quintal e eram mais nítidos quando pegavam na cara de papai. As batidas foram-se distanciando. Mamãe estava com a cabeça quase dentro do prato e as lágrimas escorrendo de seu rosto pingavam sobre o resto da comida. A marmita ainda tremia em minhas mãos e eu comecei a vomitar.

CARLOS DRUMMOND DE ANDRADE

Favelário nacional

Do livro *Corpo*, publicado pela
editora Record em 1984.

*À memória de Alceu Amoroso Lima,
que me convidou a olhar para as favelas
do Rio de Janeiro.*

1. Prosopopéia

Quem sou eu para te cantar, favela,
que cantas em mim e para ninguém a noite inteira de sexta
e a noite inteira de sábado
e nos desconheces, como igualmente não te conhecemos?
Sei apenas do teu mau cheiro: baixou a mim, na vibração,
direto, rápido, telegrama nasal
anunciando morte... melhor, tua vida.

Decoro teus nomes. Eles
jorram na enxurrada entre detritos
da grande chuva de janeiro de 1966
em noites e dias e pesadelos consecutivos.
Sinto, de lembrar, essas feridas descascadas na perna esquerda
chamadas Portão Vermelho, Tucano, Morro do Nheco,
Sacopã, Cabritos, Guararapes, Barreira do Vasco,
Catacumba catacumbal tonitruante no passado,
e vem logo Urubus e vem logo Esqueleto,
Tabajaras estronda tambores de guerra,
Cantagalo e Pavão soberbos na miséria,
a suculenta Mangueira escorrendo caldo de samba,

Sacramento... Acorda, Caracol. Atenção, Pretos Forros!
O mundo pode acabar esta noite, não como nas Escrituras se
[estatui.
Vai desabar, grampiola por grampiola,
trapizonga por trapizonga,
tamanco, violão, trempe, carteira profissional, essas drogas todas,
esses tesouros teus, altas alfaias.

Vai desabar, vai desabar
o teto de zinco marchetado de estrelas naturais
e todos, ó ainda inocentes, ó marginais estabelecidos, morrereis
pela ira de Deus, mal governada.

Padecemos este pânico, mas
o que se passa no morro é um passar diferente,
dor própria, código fechado: Não se meta,
paisano dos baixos da Zona Sul.

Tua dignidade é teu isolamento por cima da gente.
Não sei subir teus caminhos de rato, de cobra e baseado,
tuas perambeiras, templos de Mamalapunam
em suspensão carioca.
Tenho medo. Medo de ti, sem te conhecer,
medo só de te sentir, encravada
favela, erisipela, mal-do-monte
na coxa flava do Rio de Janeiro.

Medo: não de tua lâmina nem de teu revólver
nem de tua manha nem de teu olhar.
Medo de que sintas como sou culpado
e culpados somos de pouca ou nenhuma irmandade.
Custa ser irmão,
custa abandonar nossos privilégios
e traçar a planta
da justa igualdade.

Somos desiguais
e queremos ser
sempre desiguais.
E queremos ser
bonzinhos benévolos
comedidamente
sociologicamente
mui bem comportados.
Mas favela, ciao,
que este nosso papo
está ficando tão desagradável.
Vês que perdi o tom e a empáfia do começo?

2. Morte gaivota

O bloco de pedra ameaça
triturar o presépio de barracos e biroscas.
Se deslizar, estamos conversados.
Toda gente lá em cima sabe disso
e espera o milagre,
ou, se não houver milagre, o aniquilamento instantâneo,
enquanto a Geotécnica vai tecendo o aranhol de defesas.
Quem vence a partida? A erosão caminha
nos pés dos favelados e nas águas.
Engenheiros calculam. Fotógrafos
esperam a catástrofe. Deus medita
qual o melhor desfecho, senão essa
eterna expectativa de desfecho.

O morro vem abaixo esta semana
de dilúvio
ou será salvo por Oxosse?
Diáfana, a morte paira no esplendor

do sol no zinco.
Morte companheira. Morte,
colar no pescoço da vida.
Morte com paisagem marítima,
gaivota,
estrela,
talagada na manhã de frio
entre porcos, cabritos e galinhas.
Tão presente, tão íntima que ninguém repara
no seu hálito.
Um dia, possivelmente madrugada de trovões,
virá tudo de roldão
sobre nossas ultra, semi ou nada civilizadas cabeças
espectadoras
e as classes se unirão entre os escombros.

3. Urbaniza-se? Remove-se?

São 200, são 300
as favelas cariocas?
tempo gasto em contá-las
é tempo de outras surgirem.
800 mil favelados
ou já passa de um milhão?
Enquanto se contam, ama-se
em barraco e a céu aberto,
novos seres se encomendam
ou nascem à revelia.
Os que mudam, os que somem,
os que são mortos a tiro
são logo substituídos.
Onde haja terreno vago,
onde ainda não se ergueu

um caixotão de cimento
esguio (mas vai-se erguer)
surgem trapos e tarecos,
sobe fumaça de lenha
em jantar improvisado.

Urbaniza-se? Remove-se?
Extingue-se a pau e fogo?
Que fazer com tanta gente
brotando do chão, formigas
de formigueiro infinito?
Ensinar-lhes paciência,
conformidade, renúncia?
Cadastrá-los e fichá-los
para fins eleitorais?
Prometer-lhes a sonhada,
mirífica, róseo-futura
distribuição (oh!) de renda?
Deixar tudo como está
para ver como é que fica?
Em seminários, simpósios,
comissões, congressos, cúpulas
de alta vaniloqüência
elaborar a perfeita
e divina solução?

Um som de samba interrompe
tão sérias cogitações,
e a cada favela extinta
ou em vila transformada,
com direito a pagamento
de Comlurb, ISS, Renda,
outra aparece, larvar,
rastejante, desafiante,
de gente que nem a gente,

desejante, suspirante,
ofegante, lancinante.
O mandamento da vida
explode em riso e ferida.

4. Feliz

De que morreu Lizélia no Tucano?
Da avalanche de lixo no barraco.
Em seu caixão de lixo e lama ela dormiu
o sono mais perfeito de sua vida.

5. O nome

Me chamam Bonfim. A terra é boa,
não se paga aluguel, pois é do Estado,
que não toma tenência dessas coisas
por enquantemente. Na vala escorre
a merda dos barracos. Tem verme
n'água e n'alma. A gente se acostuma.
A gente não paga nada pra morar,
como ia reclamar?

Meu nome é Bonfim. Bonfim geral.
Que mais eu sonho?

6. Matança dos inocentes

Meu nome é Rato Molhado.
Meus porcos foram todos sacrificados
para acabar com a peste dos porcos.

Fiquei sem saúde e sem eles.
Uma por uma ou todas de uma vez
pereceram minhas riquezas. Em Inhaúma
sobram meus ratos incapturáveis.

7. FAZ DEPRESSA

Aqui se chama Faz Depressa
porque depressa se desfaz
a casa feita num relâmpago
em chão incerto, deslizante.
Tudo se faz aqui depressa.
Até o amor. Até o fumo.
Até, mais depressa, a morte.
Ainda mesmo se não se apressa,
a morte é sempre uma promessa
de decisão geral expressa.

8. GUAIAMU

Viemos de Minas, sim senhor,
fugindo da seca braba lá do Norte.
Em riba de cinco estacas fincadas no mangue
a gente acha que vive
com a meia graça de Deus Pai Nosso Senhor.
Diz — que isto aqui tem nome Nova Holanda.
Eu não dou fé, nem sei onde é Holanda velha.
Me dirijo à Incelência: Isso é mar?
Mar, essa porcaria que de tarde
a onda vem e limpa mais ou menos,
e volta a ser porcaria, porcamente?

Vossa Senhoria tá pensando
que a gente passa bem de guaiamu
no almoço e na janta repetido?
Guaiamu sumiu faz tempo.
Aqui só vive gente, bicho nenhum
tem essa coragem.
Espia a barriga,
espia a barriga estufada dos meninos,
a barriga cheia de vazio,
de Deus sabe o quê.
Ele não podendo sustentar todo mundo
pelo menos faz inchar a barriga até este tamanho.

9. Olheiros

Pipa empinada ao sol da tarde,
sinal que polícia vem subindo.
Sem pipa, sem vento,
sem tempo de empinar,
o assovio fino vara o morro,
torna o corpo invisível, imbatível.

10. Sabedoria

Deixa cair o barraco, Ernestilde,
deixa rolar encosta abaixo, Ernestilde,
deixa a morte vir voando, Ernestilde,
deixa a sorte brigar com a morte, Ernestilde.
Melhor que obrigar a gente, Ernestilde,
a viver sem competência, Ernestilde,
no áureo, remoto, mítico

— lúgubre
conjunto habitacional.

11. COMPETIÇÃO

Os garotos, os cães, os urubus
guerreiam em torno do esplendor do lixo.
Não, não fui eu que vi. Foi o Ministro
          do Interior.

12. DESFAVELADO

Me tiraram do meu morro
me tiraram do meu cômodo
me tiraram do meu ar
me botaram neste quarto
multiplicado por mil
quartos de casas iguais.
Me fizeram tudo isso
para o meu bem. E meu bem
ficou lá no chão queimado
onde eu tinha o sentimento
de viver como queria
no lugar onde queria
não onde querem que eu viva
aporrinhado devendo
prestação mais prestação
da casa que não comprei
mas compraram para mim.
Me firmo, triste e chateado,
          Desfavelado.

13. Banquete

Dia sim dia não, o caminhão
despeja 800 quilos de galinha podre,
restos de frigorífico,
no pátio do Matruco,
bem na cara do Morro da Caixa d'Água
e do Morro do Tuiuti.
O azul das aves é mais sombrio
que o azul do céu, mas sempre azul
conversível em comida.
Baixam favelados deslumbrados,
cevam-se no monturo.
Que morador resiste
à sensualidade de comer galinha azul?

14. Aqui, ali, por toda parte

As favelas do Rio transbordam sobre Niterói
e o Espírito Santo fornece novas pencas de favelados.
O Morro do Estado ostenta sem vexame sua porção de miséria.
Fonseca, Nova Brasília (sem ironia)
estão dizendo: "Um terço da população urbana
selou em nós a fraternidade de não possuir bens terrestres."
Os verdes suspensos da Serra em Belo Horizonte
envolvem de paisagem os barracos da Cabeça de Porco.
Se não há torneiras, canos de esgoto, luz elétrica,
e o lixo é atirado no ar e a enchente carrega tudo, até os vivos,
resta o orgulho de ter aos pés os orgulhosos edifícios do Centro.
Belo Horizonte, dor minha muito particular.
Entre favelas e alojamentos eternamente provisórios de favela-
                                        [dos expulsos

(pois carece de mandá-los para "qualquer parte", pseudônimo do
[Diabo),
São Paulo cresce imperturbavelmente em esplendor e pobreza,
com 20 mil favelados no ABC.
Em Salvador, os alagados jungidos à última condição humana
colhem, risonhos, a chuva de farinha, macarrão e feijão
que jorra da visita do Presidente.
No Recife...
Quando se aterra o mangue
fogem os miseráveis para as colinas
entre dois rios. E tudo continua
com outro nome.

15. INDAGAÇÃO

Antes que me urbanizem a régua, compasso,
computador, cogito, pergunto, reclamo:
Por que não urbanizam antes
a cidade?
Era tão bom que houvesse uma cidade
na cidade lá embaixo.

16. DENTRO DE NÓS

Guarda estes nomes: *bidonville, taudis, slum,*
witch-town, sanky-town,
callampas, cogumelos, corraldas
hongos, barrio paracaidista, jacale,
cantegril, bairro de lata, *gourbville,*
champa, court, villa miseria,
favela.
Tudo a mesma coisa, sob o mesmo sol,

por este largo estreito do mundo.
Isto consola?
É inevitável, é prescrito,
lei que não se pode revogar
nem desconhecer?
Não, isto é medonho,
faz adiar nossa esperança
da coisa ainda sem nome
que nem partidos, ideologias, utopias
sabem realizar.
Dentro de nós é que a favela cresce
e, seja discurso, decreto, poema
que contra ela se levante,
não pára de crescer.

17. Palafitas

Este nasce no mangue, este vive no mangue.
No mangue não morrerá.
O maravilhoso Projeto X vai aterrar o mangue.
Vai remover famílias que têm raízes no mangue
e fazer do mangue área produtiva.
O homem entristece.
Aquilo é sua pátria,
aquele, seu destino,
seu lodo certo e garantido.

18. Cidade grande

Que beleza, Montes Claros.
Como cresceu Montes Claros.
Quanta indústria em Montes Claros.

Montes Claros cresceu tanto,
ficou urbe tão notória,
prima-rica do Rio de Janeiro,
que já tem cinco favelas
por enquanto, e mais promete.

19. CONFRONTO

A suntuosa Brasília, a esquálida Ceilândia
contemplam-se. Qual delas falará
primeiro? Que tem a dizer ou a esconder
uma em face da outra? Que mágoas, que ressentimentos
prestes a saltar da goela coletiva
e não se exprimem? Por que Ceilândia fere
o majestoso orgulho da flórea Capital?
Por que Brasília resplandece
ante a pobreza exposta dos casebres
de Ceilândia,
filhos da majestade de Brasília?
E pensam-se, remiram-se em silêncio
as gêmeas criações do gênio brasileiro.

20. GRAVURA BAIANA

Do alto do Morro de Santa Luzia,
Nossa Senhora de Alagados, em sua igrejinha nova,
abençoa o viver pantanoso dos fiéis.
Por aqui andou o Papa, abençoou também.
A miséria, irmãos, foi dignificada.
Planejar na Terra a solução
fica obsoleto. *Sursum corda!*
Haverá um céu privativo dos miseráveis.

21. A MAIOR

A maior! A maior!
Qual, enfim, a maior
favela brasileira?
A Rocinha carioca?
Alagados, baiana?
Um analista indaga:
Em área construída
(se construção se chama
o sopro sobre a terra
movediça, volúvel,
ou sobre água viscosa)?
A maior, em viventes,
bichos, homens, mulheres?
Ou maior em oferta
de mão-de-obra fácil?
Maior em aparelhos
de rádio e de tevê?
Maior em esperança
ou maior em descrença?
A maior em paciência,
a maior em canção,
rainha das favelas,
imperatriz-penúria?
Tantos itens... O júri
declara-se perplexo
e resolve esquivar-se
a qualquer veredicto,
pois que somente Deus
(ou melhor, o Diabo)
é capaz de saber
das mores, a maior.

Minibiografias

ALBERTO MUSSA nasceu em 1961, no Rio de Janeiro, RJ. É bacharel e Mestre em Letras, licenciado em Língua Portuguesa e Literatura. Foi também percussionista em conjuntos de samba, grupos de capoeira e terreiros de umbanda. Publicou os livros *Elegbara* (contos, 1997), *O trono da rainha Jinga* (romance, 1999), *O enigma de Qaf* (romance, 2004). Colaborou com a revista *Ficções*, da editora 7 Letras, e recebeu, em 1998, uma bolsa da Biblioteca Nacional para autores com obra em andamento, para finalizar *O trono da rainha Jinga*. Em 2004, *O enigma de Qaf* recebeu o prêmio APCA de romance e, em 2005, o Prêmio Casa de las Américas.

ANTÔNIO FRAGA nasceu em 1916, no Rio de Janeiro, RJ. Garimpeiro, lanterninha de cinema, auxiliar de cozinha, jornalista, agitador cultural, editor, Fraga fez de tudo um pouco. Publicou em vida a novela *Desabrigo* (1945) e o poema dramático *Moinho* (1957), além de contos, crônicas e ensaios na imprensa. Fundou com Antônio Olinto e Ernande Soares a editora Macunaíma, que por falta de recursos teve vida curta. Autodidata, poliglota, leitor compulsivo, o autor morreu em 1993, pobre e esquecido. Em 1999, a pesquisadora Maria Célia Barbosa Reis da Silva coordenou a publicação de *Desabrigo e outros trecos*, incluindo nessa edição vários textos inéditos do autor.

CAROLINA MARIA DE JESUS nasceu em 1914, em Sacramento, MG. Neta de escravos, favelada, catadora de papel e escritora, toda a sua educação formal e literária veio dos quase três anos que estudou no Colégio Allan Kardec, de Sacramento, escola onde as crianças pobres da cidade eram mantidas. Sua obra mais conhecida é *Quarto de despejo* (1960), cuja tiragem inicial de dez mil exemplares esgotou-se logo na primeira semana. Desde que foi lançado, esse retrato do início da modernização da cidade de São Paulo e da criação de suas favelas já foi traduzido para mais de vinte idiomas, além de ter sido adaptado para o rádio, o teatro, a tevê e o cinema. Publicou ainda *Casa de alvenaria* (1961), *Pedaços de fome* (1963), *Provérbios* (1963) e *Diário de Bitita* (1982, póstumo), obras que, ao contrário da anterior, não tiveram nenhuma repercussão. A autora faleceu em 1977.

CARLOS DRUMMOND DE ANDRADE nasceu em 1902, em Itabira do Mato Dentro, MG. Formado em farmácia, durante a maior parte da vida foi funcionário público. É considerado um dos principais poetas da literatura brasileira, devido à repercussão e ao alcance de sua obra. Publicou livros de poesia, de contos e de crônicas, dos quais se destacam *Alguma poesia* (1930), *Brejo das almas* (1934), *A rosa do povo* (1945), *Claro enigma* (1951), *Contos de aprendiz* (1951) e *Amar se aprende amando* (1985). Várias obras do poeta foram traduzidas para o espanhol, o inglês, o francês, o italiano, o alemão, o sueco, o tcheco e outras tantas línguas. Drummond faleceu em 1987, no Rio de Janeiro, 12 dias após a morte de sua única filha, a escritora Maria Julieta Drummond de Andrade.

CECÍLIA PRADA nasceu em 1929, em Bragança Paulista, SP. Jornalista, licenciada em Letras Neolatinas, ex-diplomata de carreira, historiadora, dramaturga e tradutora, publicou *Ponto morto* (contos, 1955), *O caos na sala de jantar* (contos, 1978), *Menores do Brasil: a loucura nua* (reportagem, 1ª edição em 1981, 2ª edição em 1998) e *Estudos de interiores para uma arquitetura da solidão* (contos, 2004). Em 1980, recebeu o Prêmio-Esso de Reportagem pela matéria de denúncia "Clínica de Repouso Congonhas", publicada pela *Folha de S.Paulo*, em 1979. Tem trabalhos seus em diversas antologias no Brasil e no exterior, entre elas *Fran Urskog Till Megastad* (*Literatura brasileira através de textos*: seleção de 35 autores brasileiros do século XX, Suécia, 1994), *Frauen In Lateinamerika 2*

(Alemanha, 1ª edição em 1984, 2ª edição em 1987), *Tigerin Und Leopard* (Alemanha, 1987; Suíça, 1988 e 2003), *Muito prazer* (1980), *O prazer é todo meu* (1981) e *Contos de escritoras brasileiras* (2003). Escreveu ao todo sete peças, em português e em inglês, entre as quais uma adaptação de *O retrato do artista quando jovem*, de James Joyce.

CHICO LOPES nasceu em 1952, em Novo Horizonte, SP. É jornalista, comentarista e programador de cinema no Instituto Moreira Salles de Poços de Caldas, MG. Contista, novelista, poeta, ensaísta e tradutor, publicou *Nó de sombras* (contos, 2000), *Dobras da noite* (contos, 2004) e *O menino que se trancou na geladeira* (romance, 2005). Participou da antologia *Brasil 2000: retratos poéticos* (poesia, 2000) e da *Antologia do conto brasiliense* (2004). Recentemente traduziu *A volta do parafuso*, de Henry James (novela, 2004). Teve contos publicados na revista *Cult*, no jornal *Rascunho*, no site literário *Verbo 21* e no *Suplemento Literário de Minas Gerais*. Colabora regularmente com os sites *Verbo 21*, de Salvador (BA), e *Verdes Trigos*, de Presidente Prudente (SP).

FERNANDO BONASSI nasceu em 1962, em São Paulo, SP. É roteirista, dramaturgo, cineasta e escritor de diversas obras, entre elas *Um céu de estrelas* (romance, 1991), *Subúrbio* (romance, 1994), *O amor é uma dor feliz* (romance, 1997), *Vida da gente* (crônicas infantis, 1999), *O céu e o fundo do mar* (romance, 1999), *100 coisas* (contos, 2000), *Declaração universal do moleque invocado* (juvenil, 2003) e *Prova contrária* (novela, 2003). Participou de diversas antologias de contos, entre elas *Geração 90: manuscritos de computador* (2001). Foi co-roteirista de filmes como *Os matadores*, de Beto Brant, *Castelo Rá-Tim-Bum*, de Cao Hamburguer, e *Carandiru*, de Hector Babenco. No teatro, destacaram-se as montagens de *Apocalipse 1,11* e *Três cigarros e a última lasanha*. Desde 1997, assina duas colunas no jornal *Folha de S.Paulo*.

FERRÉZ, pseudônimo de Reginaldo Ferreira da Silva, nasceu em 1975, em São Paulo, SP. Seu nome literário é um híbrido de Virgulino Ferreira

(Ferre), Zumbi dos Palmares (Z) e uma homenagem a heróis populares brasileiros. Começou a escrever aos sete anos de idade, acumulando contos, versos, poesias e letras de música. Antes de se dedicar exclusivamente à escrita, trabalhou como balconista, vendedor de vassouras, auxiliar-geral e arquivista. Seu primeiro livro, *Fortaleza da desilusão*, foi lançado em 1997, com patrocínio da empresa onde trabalhava. A fama veio com o lançamento de *Capão Pecado*, lançado em 2000, romance sobre o cotidiano violento do bairro do Capão Redondo, na periferia de São Paulo, onde vive o escritor. Ligado ao movimento hip hop e fundador da 1DASUL, movimento que promove eventos culturais em bairros da periferia, Ferréz atua como cronista na revista *Caros Amigos*. Publicou, em 2004, o *Manual prático do ódio* e, em 2006, *Ninguém é inocente em São Paulo*.

João Antônio nasceu em 1937, em São Paulo, SP. Jornalista, colaborou com os principais jornais e revistas do país. Em 1960, os originais do seu primeiro livro, *Malagueta, Perus e Bacanaço*, foram queimados no incêndio que destruiu a sua casa e deixou a família apenas com a roupa do corpo. Segundo a lenda, em 1962, o autor reescreveu o livro, de memória, na cabine 27 da Biblioteca Mário de Andrade. No ano seguinte, finalmente publicou *Malagueta, Perus e Bacanaço*, com o qual recebeu o prêmio Fábio Prado e em seguida dois prêmios Jabuti: o de Revelação de Autor e o de Melhor Livro de Contos. São de sua autoria o primeiro conto-reportagem do jornalismo brasileiro, *Um dia no cais* (1968), e a expressão *imprensa nanica*, para designar os jornais alternativos. Publicou os premiados *Ô Copacabana!* (contos, 1978), *Dedo-duro* (contos, 1982) e *Abraçado ao meu rancor* (contos, 1986), entre outros. João Antônio morreu em 1996, no Rio de Janeiro.

João Anzanello Carrascoza nasceu em 1962, em Cravinhos (SP). Redator de propaganda e professor da ECA-USP, onde doutorou-se em Ciência da Comunicação, publicou os livros de contos *Hotel Solidão* (1994), *O vaso azul* (1998) e *Duas tardes* (2002), além de várias obras para jovens e crianças, como as novelas *As flores do lado de baixo* (1991) e *De papo com a noite* (1992) e os romances *A lua do futuro* (1995), *O jogo secreto dos alquimistas* (2000) e *Aprendiz de inventor* (2004). Participou de antologias de contos nacionais, como *Geração 90: manuscritos de computador* (2001), e internacionais, como *Cuentos breves latinoamericanos* (1998) e *Scrittori brasiliani* (2003). Possui contos publicados em alguns dos principais jornais, revistas e suplementos literários do Brasil. Dos prêmios que recebeu destacam-se o do Concurso Nacional de Contos do Paraná (1992), o do Concurso de Contos Guimarães Rosa (1993), patrocinado pela Radio France Internationale, e o Eça de Queiroz (2000).

JOÃO BATISTA MELO nasceu em 1960, em Belo Horizonte, MG. É formado em Comunicação Social pela UFMG. Em 2004, concluiu o mestrado em Multimeios, com tese sobre o cinema infantil brasileiro. Publicou os livros de contos *O inventor de estrelas* (1991), *As baleias do Saguenay* (1995) e *Um pouco mais de Swing* (1999), e o romance *Patagônia* (1998). Seus livros receberam os prêmios Minas de Cultura, Paraná de Literatura, Cruz e Sousa de Romance e o prêmio-bolsa da Biblioteca Nacional. Teve contos publicados nas antologias *Geração 90: manuscritos de computador* (2001), *Novos contistas mineiros* (1988) e *Des nouvelles du Bresil* (França, 1999) e em diversos jornais, como *Folha de S.Paulo*, *O Globo*, *Rascunho* e *Suplemento Literário de Minas Gerais*. Crítico de cinema, dirigiu em 1980 o curta *A quem possa interessar* e em 2004 realizou para a TVE o curta infantil *Tampinha*.

JOÃO PAULO CUENCA nasceu em 1978, no Rio de Janeiro, RJ. É escritor, jornalista e roteirista de cinema e tevê. Foi co-autor, com Chico Mattoso e Santiago Nazarian, da coletânea *Parati para mim* (2003). É autor do romance *Corpo presente* (2003), atualmente em fase de adaptação para o cinema. Das antologias de que participou, destaca-se *Prosas cariocas* (2004). Publica uma crônica semanal, no caderno Megazine, do jornal *O Globo*.

JOCA REINERS TERRON nasceu em 1968, em Cuiabá (MT). Escritor, designer gráfico e editor da Ciência do Acidente, publicou *Eletroencefalodrama* (poemas, 1998), *Não há nada lá* (romance, 2001), *Animal anônimo* (poemas, 2002), *Hotel Hell* (novela, 2003), *Curva de rio sujo* (contos, 2003) e *Sonho interrompido por guilhotina* (contos, 2006). Participou de diversas antologias, entre elas *Geração 90: os transgressores* e *Na virada do século: poesia de invenção no Brasil*. Dos prêmios que recebeu, destaca-se o Redescoberta da Literatura Brasileira, promovido pela revista *Cult*. Colabora regularmente, com poemas, contos e resenhas, com a *Folha de S.Paulo*.

LUIS MARRA nasceu em 1950, em São Paulo, SP. É médico e escritor. Trabalha há mais de vinte anos na zona leste desta cidade, que é sua área mais específica de atuação. Já foi sanitarista, clínico geral, médico de família e, mais recentemente, desenvolve atividades profissionais com dependência de drogas, nas funções de médico clínico e terapeuta. Recebeu formação também em teatro. Vem desenvolvendo trabalhos na periferia, com grupos amadores, dentro e fora da área de dependência de drogas e principalmente com populações carentes. Por enquanto tem um livro de contos publicado: *O coletivo aleatório* (2001).

LUIZ RUFFATO nasceu em 1961, em Cataguases, MG. Jornalista e escritor, publicou *Histórias de remorsos e rancores* (contos, 1998), *(os sobreviventes)* (contos, 2000, menção especial no Prêmio Casa de las Américas, de Cuba), *Eles eram muitos cavalos* (romance, 2001, prêmio da APCA de Romance e Prêmio Machado de Assis de Narrativa da Fundação Biblioteca Nacional), também lançado na Itália e na França, *As máscaras singulares* (poemas, 2002), *Os ases de Cataguases: uma história dos primórdios do Modernismo* (ensaio, 2002) e a série *Inferno provisório*. Colabora com diversos jornais e revistas, entre eles *Folha de S.Paulo, O Globo, Jornal da USP, Rascunho* e *Bravo!*

LYGIA FAGUNDES TELLES nasceu em 1923, em São Paulo, SP. Formada em Direito, estreou na literatura em 1938, com a coletânea de contos *Porão e sobrado*, cuja edição foi custeada por seu pai. Publicou mais de vinte livros, entre coletâneas de contos e romances, dos quais se destacam *Ciranda de pedra* (romance, 1954), *Verão no aquário* (romance, 1963), *As meninas* (romance, 1973), *Seminário dos ratos* (contos, 1977), *As horas nuas* (romance, 1989), *A noite escura e mais eu* (contos, 1995) e *A estrutura da bolha de sabão* (contos, 1991). Sua ficção já foi traduzida para vários idiomas e recebeu os principais prêmios nacionais, além de ter sido adaptada para a tevê e o cinema, com destaque para a novela *Ciranda de pedra*, produzida pela Rede Globo. A autora é membro da Academia Brasileira de Letras.

MARÇAL AQUINO nasceu em 1958, em Amparo, no interior de São Paulo. Premiado escritor, jornalista e roteirista de cinema, publicou, entre outros livros, os volumes de contos *O amor e outros objetos pontiagudos* (1999), *Faroestes* (2001) e *Famílias terrivelmente felizes* (2003), além das novelas *O invasor* (2002) e *Cabeça a prêmio* (2003). Atuou como roteirista dos filmes *Os matadores*, *Ação entre amigos*, *O invasor* e *Nina*.

MARCELINO FREIRE nasceu em 1967, em Sertânia, no interior de Pernambuco, Nordeste do Brasil. Publicou *Angu de sangue* (contos, 2000), *eraOdito* (aforismos, 1998 / 2002) e *BaléRalé* (contos, 2003). É também editor, tendo idealizado e lançado, em 2002, a Coleção 5 Minutinhos (eraOdito editOra), com livros distribuídos gratuitamente, de importantes nomes da literatura brasileira. Também editou, ao lado de Nelson de Oliveira, a revista *PS:SP*, lançada, em número único, no ano de 2003. Das antologias de que participou destacam-se *Geração 90: manuscritos de computador* (2001), *Os transgressores* (2003), *Ficções fraternas* (2003) e *Putas* (Portugal, 2002). Alguns de seus contos foram adaptados com sucesso para o teatro. Representou o Brasil no III Encontro de Novos Narradores da América Latina e da Espanha, realizado no final de 2003 em Bogotá, Colômbia. Há vários anos mantém o blog *EraOdito* (www.eraodito.blogspot.com).

NELSON DE OLIVEIRA nasceu em 1966, em Guaíra, SP. Escritor e mestre em Letras pela USP, publicou *Naquela época tínhamos um gato* (contos, 1998), *Subsolo infinito* (romance, 2000), *O filho do Crucificado* (contos, 2001, também lançado no México), *A maldição do macho* (romance, 2002, publicado também em Portugal) e *Verdades provisórias* (ensaios, 2003), entre outros. Em 2001, organizou a antologia *Geração 90: manuscritos de computador* e em 2003, *Geração 90: os transgressores*, com os melhores prosadores brasileiros surgidos no final do século XX. Ainda em 2003 editou com Marcelino Freire o número único da revista *PS:SP*. Colabora regularmente com o jornal *Rascunho* e com o caderno Idéias & Livros, do *Jornal do Brasil*. Dos prêmios que recebeu destacam-se o Casa de las Américas (1995), o da Fundação Cultural da Bahia (1996) e duas vezes o da APCA (2001 e 2003).

PAULO LINS nasceu em 1958, no Rio de Janeiro, RJ. Foi integrante do grupo Cooperativa de Poetas nos anos 1980, tendo publicado um livro de poesia pela UFRJ, *Sobre o sol* (1986). Nos últimos anos, dedicou-se à pesquisa antropológica e ao magistério. Em 1995, foi contemplado com a bolsa Vitae de Artes e em 1997 publicou seu aclamado romance, *Cidade de Deus*, que foi lançado também na Itália, com o título de *Città di Dio* (1999), e deu origem ao premiado filme homônimo.

RONALDO BRESSANE nasceu em 1970, em São Paulo, SP. É escritor, jornalista e editor. Publicou a trilogia de coletâneas de contos intitulada *A outra comédia*, formada por *Os infernos possíveis* (1999), *10 presídios de bolso* (2001) e *Céu de Lúcifer* (2003), além do volume de poemas *O impostor* (2002). Colabora, como ficcionista e repórter, com várias publicações nacionais. Participou de diversas antologias, entre elas *Geração 90: os transgressores* (2003), e é um dos editores do site de ficção e jornalismo *FakerFakir* (www.fakerfakir.biz). Segundo o próprio autor, já esteve diversas vezes desempregado, mas nunca morou em favela (esteve em muitas, visitando amigos ou fazendo negócios...), embora tenha habitado, durante vários anos, um bairro hoje favelizado: o misterioso Capão Redondo, na zona sul paulistana.

RUBEM FONSECA nasceu em 1925 em Juiz de Fora (MG). É formado em Direito, tendo exercido várias atividades antes de dedicar-se inteiramente à literatura. Em 1952 iniciou sua carreira na polícia, como comissário, no 16º Distrito Policial, em São Cristóvão, no Rio de Janeiro. Muitos dos fatos vividos nessa época estão imortalizados nos seus livros. Escolhido, com mais nove policiais cariocas, para se aperfeiçoar nos Estados Unidos, entre setembro de 1953 e março de 1954, aproveitou a oportunidade para estudar administração de empresas na New York University. Após sair da polícia, Rubem Fonseca trabalhou na Light até se dedicar integralmente à literatura. Dos livros que publicou, muitos deles traduzidos para vários idiomas, destacam-se *Feliz Ano Novo* (contos, 1975), *O cobrador* (contos, 1979), *A grande arte* (romance, 1983), *Bufo & Spallanzani* (romance, 1986), *Vastas emoções e pensamentos imperfeitos* (romance, 1988), *Agosto* (romance, 1990) e *Romance negro e outras histórias* (contos, 1992). Recebeu diversos prêmios, inclusive pelo seu trabalho como roteirista de cinema. Pelo conjunto de sua obra, em 2003 recebeu o Prêmio Luís de Camões, considerado o Nobel da língua portuguesa, concedido pelo governo do Brasil e o de Portugal.

SÉRGIO FANTINI nasceu em 1961, em Belo Horizonte, MG. Funcionário público municipal, publicou *Diz xis*, (contos,1991), *Cada um cada um* (contos, 1992), *Materiaes* (contos, 2000) e *Coleta seletiva* (poesia, 2002). Participou das antologias *Contos jovens* (1987), *Jovens contistas mineiros* (1988), *Belo Horizonte: a cidade escrita* (1996), *Geração 90: manuscritos de computador* (2001) e *Os cem menores contos brasileiros do século* (2004). Tem textos publicados em diversas revistas, jornais, zines e suplementos, entre eles o *Suplemento Literário de Minas Gerais*, a *Coyote*, o *Rascunho* e a *Poesia Livre*.

WANDER PIROLI nasceu em 1931, em Belo Horizonte, MG. Formou-se como técnico em contabilidade e fez o curso de Direito na Universidade Federal de Minas Gerais. Advogou durante cerca de quatro anos, principalmente na Justiça do Trabalho. Foi funcionário público, trabalhou na Secretaria da Agricultura e em vários jornais: *Binômio, O Diário, Última Hora, O Sol, Diário de Minas, Estado de Minas* e *Diário de Belo Horizonte*, entre outros. Publicou nove livros: *A mãe e o filho da mãe* (contos, 1966), *O menino e o pinto do menino* (infantil, 1975), *Os rios morrem de sede* (juvenil, 1976), *A máquina de fazer amor* (contos, 1980), *Os dois irmãos* (infantil, 1980), *Minha bela putana* (contos, 1985), *Os melhores contos* (1996), *Nem filho educa pais* (infantil, 1998) e *Lagoinha* (contos, 2004). Faleceu em junho de 2006, deixando diversos livros inéditos de contos, de poemas, um romance e uma peça de teatro, todos aguardando a publicação.